Serial Mother

Conception graphique : Delphine Dupuy

ISBN 978-2-234-07549-8

Serial Mother

Jessica Cymerman

Stock

Pour mes enfants, mon mari, mes parents

On ne peut donner que deux choses à ses enfants :
des racines et des ailes.
Proverbe juif

DEPUIS QUE JE SUIS MÈRE, J'AI CHANGÉ

Après des mois d'une grossesse éprouvante (il paraît que ça dure neuf mois mais je compte lancer une pétition pour faire avouer au monde que non, en fait, ça dure vingt-deux mois), bébé est sorti.

Avec cet enfant débarquent des questions, des angoisses, des couches sales, un nouveau départ et surtout, une nouvelle vie. Plus RIEN ne sera jamais comme avant. RIEN.

Qui sont les parents, comment les repérer et surtout, qu'est-ce qui a changé en nous ?

J'ÉTAIS UNE MEILLEURE MÈRE
AVANT D'AVOIR DES ENFANTS

Avant de devenir maman, je me souviens que j'imaginais plein de choses sur la merveilleuse, formidable, extraordinaire mère que je ferais.

Je serais ferme mais en même temps cool, stricte sur la politesse mais détendue sur les horaires de coucher, je n'achèterais que du bio mais accorderais de temps à autre un bonbon, je leur apprendrais à lire à 1 an et demi mais les autoriserais quelquefois à regarder un petit film, je me ferais respecter sans même avoir à crier, jamais je ne permettrais à mes enfants de jouer à la console, je parlerais d'eux à mes copines mais pas tout le temps non plus, je serais objective en les traitant de façon juste, j'écouterais les conseils avisés de ma mère sans ronchonner, j'arriverais sans problème à leur faire faire leurs nuits, je passerais des heures à leur lire des histoires sans jamais m'en lasser, je ne hausserais le ton pour rien au monde, je répondrais à chacune de leurs questions, je ne les autoriserais pas à quitter la table avant d'avoir terminé leur repas, je ne céderais pas sur les caprices, je les emmènerais voir leur arrière-grand-mère au moins deux fois par semaine, je n'aurais jamais envie de souffler ni de passer du temps sans eux, je construirais des tours géantes de Kapla, je m'assiérais par terre et jouerais à la dînette pendant cinq heures d'affilée, je n'oublierais jamais d'aller les chercher à l'école, je ferais toutes les sorties scolaires en tant que maman accompagnatrice et je ne dirais plus jamais de gros mots.

Bref, je devais être comme ça dans ma vie idéale de mère parfaite. Mais j'ai eu des enfants.

POST IT

Nul n'est parfait, Supermaman n'existe pas.

*Je suis la meilleure des mères
(la méthode Coué est vitale quand on est maman).*

Mes enfants sont heureux par nature.

10 SIGNES
AUXQUELS ON RECONNAÎT
DES PARENTS DANS LA RUE

Je sais pas toi, mais moi, parfois, quand je marche dans la rue ou quand je suis coincée entre un monsieur et une dame dans le métro, je me demande si eux aussi ils sont comme moi. Comme moi, ça veut pas dire « blonde » ou « qui mesure 1 m 65 », ça veut juste dire : « Sont-ils des papas et des mamans ? »
Je me dis que si je le savais, je pourrais comprendre pourquoi ils sont à 8 h 35 dans le métro avec des cernes bleues sous les yeux, un trait de feutre rose dessiné sur le bout des doigts et un sourire idiot sur leur face (pensant sans doute à leur progéniture). Comme moi.
Ou pourquoi ils courent de façon rigolote à 18 h 45 dans la rue pour, comme moi encore, récupérer Boubou à l'école ou à la crèche.
Alors, étant donné que je suis timide (si, si), j'ai établi la liste des 10 signes qui ne trompent pas pour savoir si l'autre (ton moi qui n'est pas toi), celui que tu côtoies dans le bus ou sur le trottoir, est aussi papa ou maman.

※ Il est à 8 h 12 dans la rue avec le pantalon pas fermé, une tartine de Nutella dans la main droite, un cartable sur l'épaule gauche, une trace de vomi sur le haut de son pull, et il court devant des enfants qui lui ressemblent un peu, en criant : « Depêchez-vouuuus ! »

※ Son en-cas de 11 h 30 à la machine à café, c'est un Savane.

※ Dans le métro, le bus, le train, ou en réunion, une tétine tombe de sa poche au moment où il sort son titre de transport ou son BlackBerry.

✳ Au supermarché, son caddie est rempli de couches, de petits pots, de compotes de pommes en gourdes, de briques de lait, de chocolat en poudre, de dentifrices goût chewing-gum, de bonbons en forme d'œufs au plat et de paquet de nouilles format familial.

✳ Il a un tatouage Malabar sur le bras droit.

✳ Elle a attaché ses cheveux avec une barrette Raiponce et porte un pansement avec des fées à son doigt.

✳ Son top ou sa chemise est taché avec ce qui semble être une trace de pâte à prout.

✳ Elle sent le Mixa Bébé car sa crème de jour à elle est vide.

✳ Elle parle de manière décomplexée des fesses, du caca et des pipis.

✳ Il se balade sur une trottinette Ben 10 à 8 h 40 le matin dans le sens inverse du chemin de l'école.

▶ POST IT ◀

Ne jamais oublier de vérifier qu'on a un stylo d'adulte dans sa poche en cas de réunion importante au bureau. Le stylo Cars peut nous envoyer pointer aux Assedic en moins de deux ou, à tout le moins, nous faire passer pour la tête de Turc de la boîte.

Effacer toute trace d'enfant sur soi (se mettre dans la peau d'Horatio Caine des Experts pour ce faire).

Éviter de parler des pipis au lit, des couches et du caca de l'enfant à tout le quartier. Un jour l'enfant sera grand et aura honte.

JE ME FAIS DE NOUVEAUX AMIS, JUSTE PARCE QU'ILS ONT DES ENFANTS

Depuis que les enfants sont à la crèche, à l'école ou au centre de loisirs, force est de reconnaître que tu as élargi ton cercle d'amis. Si d'un côté tu en as perdu – ceux qui te jugent trop « maman » quand tu refuses une virée improvisée à Ibiza avec champagne à gogo –, tu en as gagné plein d'autres. Car comme le dit si bien l'adage populaire : « Un de perdu, dix de retrouvés ! » (Proverbe inadapté soit dit en passant quand il s'agit d'amour car lorsque tu romps avec ton mec, il n'arrive jamais qu'un car rempli de dix sosies de David Beckham se pointe devant chez toi…)

Il y a donc des personnes à qui tu n'aurais jamais pensé adresser la parole de ta vie, mais qui d'un coup d'œil complice ou parce que leur enfant a la même poussette que le tien, deviennent des potes. Oui, avouons-le : entre parents il se passe un truc, un peu comme chez les Alcooliques Anonymes :

– Bonjour. Serialmother, 34 ans, deux enfants, et le troisième est pour bientôt. Voilà, je suis naze, je me réveille chaque nuit, je dois être à 8 h 15 devant l'école, je ne prends plus le temps d'aller au cinéma, au théâtre, de dîner correctement, de faire l'amour, de m'épiler, mais j'aime mes enfants, hein ?

– BOOOON-JOUR, SERIALMOTHER.

– Nathalie, 36 ans, maman de quatre enfants. Je suis à bout, mes mômes me parlent mal, mon mari m'a quittée, je ne sais plus quoi faire le soir à bouffer à part des pâtes. J'ai besoin d'aide.

– BOOOONJOUR, NATHALIE.

– Lionel, 45 ans, un enfant. Moi, c'est ma femme qui est partie. Enfin, juste deux jours. Elle rentre de voyage d'affaires demain et je suis en panique. Une question : la couche se met-elle au-dessous ou au-dessus du body ?

– BOOOONJOUR, LIONEL.

Oui, c'est sûr, entre parents on se comprend. Moi je me suis fait des copines à la sortie de l'école à qui, à part des gosses, je ne parle de rien. C'est à peine si je connais leur prénom ! « Alors, votre fils, ça se passe bien avec la maîtresse ? Vous vous présentez aux élections des parents d'élèves ? – Oui, super, et toi ? On se tutoie hein ? »

Mais oui, on se tutoie, on se sourit, on se donne la main. Pour un peu, on serait dans une chanson de Yannick Noah.

> POST IT

Des mamans-copines tu te feras.
Utile pour quand Serialfiston oublie son cahier
de devoirs.

Tes vieilles copines d'avant tu n'oublieras pas
(fais semblant de n'avoir point de marmots
sur ton profil Facebook).

Un cahier avec les prénoms des enfants de l'école
et ceux de leurs parents tu tiendras.
Ce sera ton pense-bête.

QUAND JE REGARDE LES INFOS,
JE PLEURE

Il faut que je te dise : j'ai un petit cœur qui bat sous mon énoooorme poitrine. (OK, j'ai plutôt le torse de Jane Birkin que celui de Jayne Mansfield... mais bon, ça va, quoi...)

Avant d'être une maman, je regardais tout et n'importe quoi à la télévision : les reportages gores, *Les Experts*, *NY, section criminelle*, des documentaires sur le Seconde Guerre mondiale, des reportages sur les bébés koalas en voie de disparition, des rediffusions d'émissions avec Cloclo et la bande à Joe chez Maritie et Gilbert Carpentier... Et puis je lisais. Beaucoup. (J'ai moins le temps, là. Je sais, c'est dommage, mais parles-en à mes enfants insomniaques.) J'allais au cinéma aussi. Et jamais, au grand jamais, je ne pleurais. Ouais, parce qu'un mec, un vrai, ça chiale pas.

En devenant maman, j'ai bien senti dès le premier cri de mes bébés que j'allais désormais avoir la larme facile. Ça a donc commencé à la maternité où il a fallu placer une bassine près de moi pour recueillir mes larmes (qui furent reversées dans la mer). Ça a continué au premier sourire de mes enfants et ça a atteint des sommets au premier : « Ze t'aimeu, maman. »

La vague lacrymale est en moi et rien ne pourra l'arrêter.

Je regarde un reportage au JT sur les bébés singes, je pleure.

Je lis *La Promesse de l'aube* de Romain Gary, je pleure.

Je mate *La Petite Maison dans la prairie*, je pleure.

J'apprends la mort de Sim, je pleure.

Je regarde mes enfants endormis, je pleure.
Je mange un bon steak, je pleure.
J'apprends le divorce de Tom Cruise et Katie Holmes, je pleure.
Je me fais la trilogie du *Parrain*, je pleure.
J'écoute *Mother* de John Lennon, je pleure.
Je redécouvre *E.T.*, le film, en famille, je pleure.
J'apprends que Dora a perdu son sac à dos, je pleure.
Je mets *Oscar* avec Louis de Funès, je pleure.
Je pense à feu mon poisson rouge, je pleure.

Voilà, je suis devenue une petite chose toute sensible. Une maman, quoi.

▶ POST IT ◀

Quand tu sens les larmes te monter aux yeux, laisse couler.

Si tu pleures pour une raison idiote (genre tu viens de réaliser que tes mômes ne connaîtront jamais les cassettes Betamax), prétends que tu es hyper fatiguée en ce moment.

Pense à acheter des mouchoirs.

NOËL DEPUIS
QUE JE SUIS MÈRE

Jusqu'à récemment, je n'avais pas d'enfants. Du coup, plein d'événements m'apparaissaient sous un jour différent. Plus simplement, je dirais. Par exemple, lorsque c'était la Saint-Valentin, avec Chouchou on prenait un bain de champagne, on recouvrait le lit de pétales de roses, on faisait l'amour en haut de la tour Eiffel en criant si fort que même les passants du Champ-de-Mars nous lançaient : « Oh, vous voulez pas la fermer ? »

Puis on a eu des enfants et la Saint-Valentin est devenue moins fofolle. On a été vite tellement nazes que le 14 février, on s'est mis à regarder *Columbo* en pantoufles, une part de pizza sur les genoux. Et souvent on s'endort avant la fin (ce qui, je te l'accorde, n'est pas bien grave puisque la force de *Columbo*, c'est que tu connais le meurtrier dès le début).

Noël, c'est comme la Saint-Valentin puissance 10 000. Avant, Noël, c'était MA fête. Je stockais des idées de cadeaux dans mon smartphone au fur et à mesure de l'année en vue du 24 décembre, j'errais des heures dans les Grands Magasins afin de trouver la petite robe idéale pour accueillir le père Noël, j'allais me faire masser le jour même pour être en forme, je faisais un régime la veille pour pouvoir avaler sans scrupules la bûche entière le lendemain, j'ouvrais mes paquets avec ravissement comme une gamine, je faisais des câlins à mes parents pour les remercier, j'essayais tout le soir même, je buvais un verre ou douze, je me couchais tard, je humais le sapin et j'étais bien. C'était MON Noël. Mais voilà, les enfants sont nés et me l'ont volé. D'abord, la mamie (ma mère) m'a demandé dès le premier Noël de l'aîné ce qu'il voulait. J'ai répondu : « ipod/maquillage/parfum/places de théâtre/Louboutin/pochette du soir.» Elle m'a dit que j'avais mal entendu sa question, que ce n'était pas ma wish list qui l'intéressait mais celle de l'héritier.

J'ai alors compris que Noël ne serait plus jamais ma fête, qu'il fallait que je fasse le deuil de mes beaux cadeaux à moi, que j'allais devoir me taper le mythe du père Noël en souriant un sacré paquet d'années, que mon salaire annuel allait dorénavant passer dans les surprises des enfants, que tout ce qui comptait désormais, c'était la petite robe à smocks qu'allait revêtir ma fille le soir du 24, que moi je pouvais enfiler un jean et un sweat sans que personne ne le remarque, que j'allais devoir arrêter de bouffer de la bûche car il fallait en laisser aux enfants (sans parler des kilos de grossesse à perdre), que l'attention serait portée sur eux et que je n'aurais donc comme cadeaux que des objets me renvoyant à mon rôle de mère : une machine à faire des purées – « Oh, c'est trop génial, ça manquait à ma vie » –, un baby talk du futur – « Oh, c'est canon, comme ça je n'oublierai jamais que j'ai des gosses » –, un album photo pour ranger les petites bouilles de mes kids – « oh, c'est top, et puis tu sais j'ai carrément le temps de faire des albums photo ! ».

À eux les Lego, la super PlayStation, la poupée trop jolie, la dînette en bois vintage, le petit cheval à bascule trop chou, l'appareil photo 9 en 1, le parfum pour mini-adulte. À moi le néant.

POST IT

Moi aussi, j'ai le droit de faire ma liste au père Noël. Je vais me gêner, tiens.

Noël, c'est RIEN par rapport à mon anniversaire qui passe à la trappe chaque année.

Moi, je peux avoir la vraie adresse du père Noël si je veux. Nanméo !

J'AI DÉCOUVERT QUE LE MATIN, IL Y AVAIT UNE VIE PARALLÈLE EN BAS DE CHEZ MOI

Tu sais, quand Serialfather et moi étions seuls au monde, le week-end nous légumions au lit. Nous n'avions pas d'horaires, pas de contraintes. Je lui demandais : « C'est toi ou moi qui descends acheter les pains au chocolat ? », il me répondait : « J'y vais, chérie, et je passe au vidéoclub nous prendre un petit DVD pour cet après-midi », je souriais, je m'extirpais mollement du lit, j'allais prendre une douche. Il était 12 h 22.

Puis Serialfiston est arrivé. Très vite, il nous est apparu que 6 heures du matin serait son max et que 12 h 22 serait déjà la moitié de notre journée.

Alors, un jour, en Mère (pas) Courage, je suis sortie de chez moi un dimanche à 9 h 26. À ce moment-là, je ne savais pas encore que ma vie allait basculer. Poussant le landau de Serialfiston, j'ai été happée par une foule.

MOI (*à une dame*) : Mais que se passe-t-il, madame ? Y a une manif ? C'est la fin du monde ? Pourquoi tant de monde ?
ELLE (*l'air ahuri*) : Bah non, c'est le marché, quoi.
MOI (*suspicieuse*) : Le marché, mais quel marché ?

À la tête de la dame, j'ai vite compris que soit j'étais une débile, soit j'étais une Martienne. Et comme je ne suis pas une Martienne…

ELLE (*amusée*) : Ouh, là, là, faut sortir le dimanche (je hais cette expression). Le marché du week-end qui se tient dans la rue d'à côté chaque samedi et dimanche matin.

Il y avait donc un marché en bas de chez nous et nous l'avions ignoré pendant quatre ans.

Aventurière, j'ai décidé d'aller voir la chose de mes propres yeux (oui, je prends des risques, appelle-moi Bernard de La Villardière). Et ce que j'ai vu ce dimanche-là à 9 h 29 m'a causé à la fois de la joie et du tracas. Un flot d'êtres humains, plein de fruits, de légumes, de poussettes, de vieux, de papas, de mamans, d'enfants, un étal de viande, un autre de fromages, un marchand de poissons. Un marché, quoi. Et tous ces gens qui étaient réveillés avant midi !

Au loin, j'ai aperçu une femme faisant son jogging, un homme prenant un café dans un troquet, une petite fille sautant à la corde et une femme d'un certain âge promenant son chien.

Je suis rentrée, j'ai annoncé la bonne nouvelle à Serialfather qui n'a pas voulu y croire. « Mais siiii, chte jure… plein de monde… un marché… un chien… une vieille… du fromage… »

Nous entrions donc dans l'univers parallèle des parents qui se lèvent tôt le week-end. Bienvenue.

POST IT

***Quand tu t'installes quelque part,
fais le tour du quartier.
Tu pourras ainsi découvrir qu'il y a un parc
juste en bas de chez de toi sans attendre
de devenir mère.***

***N'oublie pas que plein d'êtres humains
sont comme toi entrés dans la 12e dimension.***

10 PHRASES QUE TU RÉPÈTES SOUVENT À TES ENFANTS (ET QUI MARCHENT AUSSI POUR TON HOMME)

Constat n° 3465 de ma vie de mère : je répète parfois trente-quatre fois certaines choses à mes enfants et ô, loi du hasard (ou pas), je répète les mêmes à mon mari.

✹ Le linge sale va dans le panier bleu. Le panier blanc, c'est pour le linge à repasser. Tu seras gentil de mettre tes chaussettes sales (oui, les deux) dans le panier bleu.

✹ Non, je ne peux pas faire des pâtes tous les soirs. Tu sais bien qu'il te faut manger des légumes de temps en temps. T'as pas vu la pub à la télé ?

✹ La PlayStation, pas en semaine.

✹ On est samedi, il est 18 heures, il serait pas temps de prendre une douche et de s'habiller ?

✹ Je serai absente ce soir, j'ai du boulot, merci de garder le salon dans l'état où je l'ai laissé.

✹ Appelle ta grand-mère, ça lui fera plaisir.

✹ Ne te promène pas tout nu, merci !

✹ Tu as *juste* un rhume, chéri. Non, tu ne vas *pas* mourir.

✹ Ça serait sympa de dire bonjour poliment à Mme Michu, notre voisine depuis quatre ans, quand tu la croises dans la rue.

✳ OK, je te prépare ton petit-déj avec tes tartines au Nutella et ton chocolat chaud « mais pas trop chaud », ton jus d'orange sans pulpe et ton petit pain au chocolat. Dis, j'ai droit à un câlin en contrepartie ?

AVANT J'AIMAIS LES COLLIERS DE DIAMANTS, MAINTENANT JE METS DES COLLIERS DE NOUILLES

Avant je rêvais de week-ends à Venise, de rivières de diamants, d'une toile de maître, d'aller au concert des Rolling Stones, de faire la fête avec mes copines jusqu'à 6 heures du mat, de rouler à 260 km/h, je regardais *La Boum* et je croyais que j'avais 14 ans comme Sophie Marceau, je mangeais sans me mettre à table, je me couchais tard le samedi soir sans penser au réveil du lendemain, je me promenais nue chez moi, je prenais un bain pendant deux heures, j'avais le temps de m'octroyer un vrai petit-déjeuner, je ne remplissais pas mon frigo, nous nous commandions des sushis à 23 heures, je fumais chez moi, je laissais traîner des affaires aux quatre coins du salon, j'allais au ciné voir un film policier.

Maintenant je rêve d'un week-end seule chez ma mère, d'un collier de nouilles, d'un dessin de ma fille de 5 ans, je vais au concert de Chantal Goya, j'organise l'anniv de mes enfants avec leurs vingt-cinq copains, je roule à 30 km/h avec sièges-autos, je regarde *La Boum* en me disant que je suis plus proche de Brigitte Fossey, je mange à heures fixes et assise à table, je me couche avant minuit le samedi car je sais que je vais être réveillée à 6 heures le lendemain, j'enfile un peignoir ou un pyjama à la sortie de mon lit, je prends des douches, j'avale une biscotte sans beurre le matin, je fais le plein de courses tous les deux jours, je cuisine des plats équilibrés, j'ai arrêté de fumer, je fais des machines trois fois par jour, je vais voir des dessins animés à chaque fois que je vais au ciné.

Si toi aussi tu es comme moi, c'est que tu es maman (ou papa). Le plus dur, c'est les vingt-cinq premières années, va.

POST IT

N'oublie pas tes rêves d'avant.
Oui, oui, un jour tu retourneras voir Rambo
au cinoche. Ah bon, c'est dépassé Rambo ? Ah...

Accorde-toi des sorties en couple ou entre copines.
Au moins trois fois dans le mois.

Lâche prise parfois :
autorise le dîner sur le canapé
pour toute la famille et le coucher à 22 h 30.
(La folie, quoi !)

10 TYPES DE MÈRES
QU'ON CROISE SUR FACEBOOK

Avant, sur Facebook, tes copines non plus n'avaient pas d'enfants. Maintenant, tout le monde est embarqué dans le tourbillon d'la vie. La vie de maman sur les réseaux sociaux symbolise le changement. Et le changement, c'est maintenant.

❋ La mère addict : elle poste des photos de ses enfants tout le temps et dans n'importe quelle circonstance. Elle ose le statut : « Junior a fait trois petites crottes bien jolies ce matin ! Et il a vomi aussi. Amour de bébé. »

❋ La future mère addict : à peine sortie de l'écho, bébé est déjà en place en 3D sur SON profil FB. Elle a même choisi d'appeler son enfant « Facebook » (rigole pas, c'est une histoire vraie).

❋ La mère qui râle : elle a tout le temps des statuts anti-kids (« Ils font chier », « Ils puent », « Ils mangent trop », « Ils me saoulent »). Parfois, par mégarde, elle étend sa critique aux enfants des autres et se fâche avec toutes ses amies.

❋ La mamie gaga : elle a découvert Facebook en même temps qu'elle est devenue grand-mère et a envie de se la jouer mamie cool. Elle poste des photos de ses petits-enfants à longueur de journée et s'émerveille de tout. Elle se fait une seconde jeunesse on line et elle gonfle par la même occasion la Toile entière.

❋ La mère stressante : elle cherche sur Facebook et sur des pages communautaires de mamans les réponses à ses angoisses (puisque son pédiatre, c'est sûr, il y connaît rien à rien). Elle est inscrite à 34 567 pages de mères, chatte avec des mamans virtuelles et pollue en direct son wall de trucs méga angoissants pour tout le monde : « Mon enfant a avalé un bonbon et s'étouffe en ce moment même », « Mon bébé a régurgité et ne peut plus respirer, je fais quoi ? ».

✱ La mère qui cherche la guerre : elle allaite et va pester dans des groupes de non-allaitantes (ou le contraire, hein), elle est pour le Nutella mais s'infiltre dans des groupes de parents anti-Nutella pour s'énerver virtuellement. Cette mère aime le conflit facebookien.

✱ La mère qui te fait culpabiliser de bosser : elle s'occupe de ses enfants et c'est super mais elle ne jure que par les statuts tels que : « La vie est courte, profitons chaque seconde de nos enfants (comme moi) », ou : « Pour rien au monde je ne mettrais bébé à la crèche. Jamais sans mes enfants », ou encore : « Les nounous sont toutes folles et tuent les enfants dont elles ont la garde. » Toi tu es en pause déj au bureau et tu pleures.

✱ La mère hyper sexy : elle est belle et mince, a un job de rêve et des enfants sympas (et le pire, c'est que c'est vrai). Elle poste des photos d'elle en bikini sur une plage avec Brad Pitt et Angelina Jolie et tous leurs gosses merveilleux qui jouent autour. Et toi t'es un peu (beaucoup) jalouse.

✱ La mère qui se connecte une fois tous les quatre ans : elle a posté une photo de son enfant à 2 mois et puis une autre à 4 ans. Elle s'en balance, elle, de Facebook parce que « tu comprends, la vraie vie est ailleurs », et hop, elle te fait culpabiliser d'avoir mis en ligne quatre photos de tes gosses cette semaine !

✱ La mère qui te fait flipper : à longueur de journée, elle balance des statuts du genre : « Attention, Facebook va utiliser vos données personnelles pour les filer au FBI et à la NSA », ou : « Dans quinze ans vos enfants vous feront un procès pour divulgation de leur identité sans demande préalable. » Alors du coup elle poste des photos de ses chats, plus sûr selon elle.

Toute ressemblance avec des personnes existantes ou ayant existé pour de vrai ou virtuellement serait (vraiment) totalement fortuite.

POST IT

*Ne mets sur Facebook que les trucs
que tu ne risques pas de regretter.
Oublie ta tronche sur ton lit d'accouchement.*

*N'ouvre pas de compte Facebook à ton fœtus.
C'est chelou.*

*Ne souhaite pas l'anniversaire de tes gosses
en statut : « Bon anniv à ma Lilou d'amour
qui a 2 ans aujourd'hui ! »
Bah, en fait elle sait pas lire, donc...*

LE JOUR OÙ ON S'EST MIS À PARLER FRANGLAIS (POUR QUE LES ENFANTS NE COMPRENNENT PAS)

Voilà, c'est arrivé. Nous avons franchi une étape dans nos vies de parents : nous nous sommes mis à parler en franglais lorsque les serialkids sont avec nous et que nous ne voulons pas qu'ils comprennent ce que nous disons.

Petite, quand mes parents faisaient ça, je trouvais que c'était idiot. Je me disais qu'ils pouvaient bien attendre trois minutes et aller discuter dans une autre pièce, qu'ils étaient tellement ridicules avec leurs phrases en franglais, qu'ils avaient l'air de se sentir intelligents alors qu'en fait non, qu'en plus je comprenais quasiment tout puisque j'étais dans une classe bilingue. Bref, je trouvais ça absurde.

Les années ont passé, je suis maintenant dans le rôle que campait ma propre mère il y a vingt-cinq ans et je m'y mets à mon tour. Je capte désormais l'utilité du franglais en présence d'enfants. Par exemple, lorsque le grand demande s'il peut mater la télé mardi à 19 heures. On se regarde, mon mari et moi, l'air un peu idiot, et on enclenche automatiquement le bouton « english ».

Moi : What do you think ? He kan watch TV ? Nan, parce que, me I do not, putain, comment on dit déjà, I do not, bon bref, tu vois, quoi ?

Lui : No, je ne vois pas what you mean. Moi je think que I don't care parce que c'est Tuesday et que tomorrow y a pas école.

À ce moment-là, l'enfant bondit : « Ah, maman, tu vois, papa il dit que y a pas école demain et que du coup je peux regarder la télé. » L'enfant est donc bilingue ? Que nenni ! L'enfant est malin.

Autre situation. On est en voiture et on se dispute. Mais en franglais, please !

Moi : Écoute, I do not want to eat at your friend's house. Je les aime pas, Paola et Pierre. OK ?
Lui : Tu m'énerves. I don't know why you say that. J'irai without you. Pierre is my best friend. And moi I don't like your copine Juliette.

L'enfant qui observe cette scène de ménage bilingue ou presque demande : « Ah bon, et pourquoi t'aimes pas Juliette, papa ? »
Conseil pour la next time : parler chinois.

> **POST IT**

**Tant que l'enfant ne sait pas lire,
écris des petits mots à ton Serialfather
si tu veux communiquer discrétos.**

**N'apprends JAMAIS l'anglais à tes gosses.
Ça ne sert à rien, c'est une langue morte, non ?
Non ???**

10 MOTS DONT ON DÉCOUVRE L'EXISTENCE EN DEVENANT PARENT

Dans le registre des trucs que tu ne connaissais pas avant de devenir parent, il y a certains mots. Ces mots-là, tu ne les avais même jamais entendus... La langue française est riche et ça, avec l'âge, tu finis par t'en rendre compte.

Colostrum

Ce petit liquide jaunâtre qui vient juste avant la montée de lait. Il est IMPOSSIBLE de connaître ce mot si tu n'es pas enceinte ou si tu n'es pas maman. En effet, il est plus que rare dans une conversation d'ado, par exemple, d'y avoir recours. (Essaie, tu verras bien le résultat.)

Adaptation

« Et alors, l'adaptation ? » On pense forcément au cinéma, au début. Mais quand on est maman, on sait qu'il s'agit de l'adaptation en crèche. Glamour, je te dis.

Câlin

Avant d'être parents, un câlin, c'était l'action qui consiste à (entre autres) faire des enfants. Après, c'est un baiser papillon, un « Je t'aime, mon canard », un « Tu es mon bébé d'amour ».

Caprice

Un caprice, c'était une envie de partir sur une île déserte, de se prélasser, de glander, une envie d'un sac de luxe, d'un feu de cheminée, d'une glace au chocolat. Après être devenue maman, un caprice, c'est : « Je veux paaaas prendre mon bain », ou : « Je veux paaaas monter dans la poussette », ou encore : « Je veux paaaas aller à l'école. »

Contraction

Si tu n'as jamais été enceinte, il n'y a aucune raison objective de connaître ce mot. Une fois que tu as accouché, tu te dis que tu aurais voulu ne jamais avoir à le prononcer.

Lingettes

Avant, les lingettes, c'était pour se démaquiller après une soirée arrosée en compagnie de Bradley Cooper. Depuis que tu es maman, lingette = caca, pipi, bave. Youpi.

Lit parapluie

Pour le commun des mortels un lit est un... lit et un parapluie... un parapluie. Ces deux mots s'épousent uniquement dans la bouche des parents. J'y reviendrai...

Poire

Avant, la poire était le fruit du poirier. Maintenant, c'est un instrument de torture qui sert à dégager le nez de ton Serialbaby.

Réhausseur

Celui qui prétend avoir utilisé ce mot avant de devenir parent est un menteur.

Transat

Avant, c'était pour faire la sieste au soleil sur le sable blanc d'une plage. Maintenant, c'est un siège utile qui te permet de poser ton jeune enfant afin d'avoir tes deux mains libres...

Parfois, joue à l'idiote et fais semblant de ne pas comprendre certains mots du lexique des parents.

*N'oublie pas de faire des caprices (pour toi),
des câlins (autres qu'avec tes mômes),
de manger des poires et de t'allonger sur un transat.*

10 NOUVEAUX GESTES QU'ON APPREND EN DEVENANT PARENT

Outre le bouleversement d'amour, de stress et d'organisation que ton bébé a apporté dans ta vie, il y a des gestes physiques étranges qui te sont venus. Des gestes dont tu ignorais jusqu'à l'existence et qui semblent totalement bizarres à quiconque n'a pas d'enfant.

✳ Soulever ton bébé pour renifler sa couche à travers son body car tu soupçonnes qu'il a fait la grosse commission.

✳ Ramasser la tétine tombée dans le sable, la mettre dans ta bouche pour la nettoyer avec ta salive et la remettre dans la bouche de Bébé.

✳ Bercer ton caddie au supermarché quand tu fais les courses toute seule par habitude de la poussette.

✳ Te greffer le babyphone au poignet et bondir façon Rocky (*The Eye of the mother*) dès que ton enfant tousse.

✳ Maîtriser le pliage-dépliage de poussette avec le talon de ton pied droit. Jusque-là, tu ignorais que tu avais un talon bionique.

✳ Verser quelques gouttes de lait brûlant sur l'intérieur de ton poignet pour en tester la température. Te brûler mais sourire. Puis goûter le biberon.

✳ Te rendre compte que tu as deux mains et t'en servir. Tout le temps et en même temps. Pas juste pour taper sur un clavier.

✳ Bosser sur ton ordinateur avec tes trois Serialkids sur les genoux.

✻ Lécher ton index pour nettoyer la trace de Nutella qui traîne au coin de la bouche de ton enfant. (Avant, ce geste servait à t'enlever le surplus de mascara sous les yeux.)

✻ Te servir de ta bouche pour faire des bisous de façon immodérée à ton bébé.

▶ POST IT ◀

Une main sert à autre chose qu'à pousser
un landau, faire à manger, nettoyer Bébé.
Dis-le à ton mari en lui tendant ton annulaire.
Il comprendra.

Muscle ton dos. Avant, il ne te servait à rien.
Maintenant, il te sert à soulever des poids lourds.

Oublie totalement le geste de la bave sur le bout
de l'index avec ton boss.
Même s'il a une trace de chocolat
aux commissures des lèvres. Il le prendrait mal.

POUSSETTE, LIT PARAPLUIE ET AUTRES INSTRUMENTS IN(SUR)MONTABLES

Un jour, donc, j'ai eu un enfant.

J'ai mis environ un an à reconnaître les pleurs de bébé (ces fameux sept pleurs différents que toute bonne mère est censée identifier dès le premier jour de la vie de son enfant), j'ai mis quatre ans à le faire dormir plus de quatre heures d'affilée, trente-cinq mois à savoir faire un biberon sans grumeaux et bien plus longtemps encore à me familiariser avec le matériel qui va avec le bébé.

Oui, car quand tu as un bébé, tu prends le matos qui va avec.

Moi, j'avais entrepris mon parcours du combattant dans le magasin de puériculture alors que je couvais encore.

Moi (*accompagnée du futur papa*) : Bonjour, je voudrais acheter une poussette, je vais avoir un bébé.

La vendeuse : Poussette canne, poussette dos à la rue, poussette pliable, landau, poussette évolutive ?

Moi (*l'air déjà lost in translation*) : Bah ché pas, moi. Une poussette pour mettre un bébé, quoi.

Là, j'ai senti que la vendeuse prenait son air de Mme Je-sais-tout et, avec les hormones, j'ai eu envie de l'assassiner façon Dexter, épisode 45, saison 87. Avec un petit air pincé, elle nous a demandé notre budget, a sélectionné quatre poussettes et nous a suggéré de les tester.

Et là, le drame des parents débiles a démarré pour nous. Impossible de les ouvrir. On s'énerve, on râle, on rappelle la vendeuse. Et hop, d'un coup de pouce, sourire narquois aux lèvres, elle nous déplie les quatre en deux-deux ! C'est à ce moment-là que j'ai su.

J'ai su que comme je n'avais pas fait maths sup-maths spé + bac option poussette/lit parapluie, j'allais galérer pendant quelques années. Nous avons finalement jeté notre dévolu sur une poussette de prix moyen, de poids moyen, de taille moyenne, de facilité de dépliage niveau moyen.

Je ne te cache pas qu'une fois l'enfant né, j'ai mis deux mois à réussir à déplier l'engin et que Bébé a été pendant ce temps baladé en porte-bébé (véridique). La poussette était mon ennemie, je la craignais. Cette saligote n'était pas seule, elle avait des alliés. J'ai donc mis seize mois à comprendre le mécanisme de la machine à faire cuire les légumes à la vapeur et à mixer des purées, vingt-sept mois à placer la chaise haute à la hauteur désirée, sept mois à faire marcher le baby phone, trente et un mois à saisir que dans le mouche-bébé, il fallait que j'aspire (et que je vomisse au passage), cinq mois pour jeter la couche qui pue dans la poubelle qui sent bon d'un coup de pied bien placé et vingt-trois mois à déplier et replier le lit parapluie.

Au début, je l'avoue, j'ignorais jusqu'à l'existence du mot « lit parapluie ». Pour moi, dans la vie, il y avait d'un côté le lit, lieu pour végéter, et de l'autre le parapluie, sorte d'abribus mais sans bus.

Mais un jour, nous sommes partis en week-end, et pour coucher Junior, ma sœur m'a dit : « N'oublie pas ton lit parapluie ! » Renseignements pris, j'ai finalement fait connaissance avec un objet soi-disant dépliable en deux gestes, soi-disant léger, soi-disant pratique. Que nenni ! Chéri et moi n'avons jamais réussi à le déplier correctement. Il y avait toujours un côté rebelle qui ne voulait pas tenir droit. Alors on s'est dit, je me souviens : « C'est pas grave, on met le petit dedans quand même. » C'était sans compter sur l'écroulement des quatre côtés durant la nuit. L'enfant fut saucissonné. Pour le replier, semblable galère, un côté ne voulait pas rentrer dans le rang, et malgré la relecture du mode d'emploi en chinois (oui, parce que Bébé avait mangé la version française) et la meilleure volonté du monde, nous sommes repartis avec un lit pas replié dans notre coffre. Le genre de truc qui peut briser un couple.

Dans le même genre, il faut aussi que je t'avoue que la première fois que j'ai repris ma voiture après avoir enfanté, j'avais non seulement oublié où je l'avais garée (neurones envolés avec l'accouchement) mais surtout, une fois retrouvée au bout de quatre appels à la fourrière et une enquête de terrain, je ne savais foutrement pas comment installer Serialbaby dans son maxicosy. Il fallut d'abord sortir l'enfant de sa poussette en tentant le tour de force de ne pas le réveiller (ambiance prise de tête : un peu comme quand tu joues au mikado et tu ne peux en bouger un sans faire bouger les autres). puis le placer dans son siège-auto sans trop savoir dans quel sens il fallait le tourner (il y a différentes écoles, face route/ dos route, comme pour le sommeil, sur le dos/sur le ventre), ni comment diable il fallait sangler les ceintures. L'enfant soutenait mon regard avec un air qui voulait dire qu'il se foutait bien de sa mère. Je commençai à maugréer avec un mode d'emploi à la main quand, n'y tenant plus, j'arrêtai un passant à l'air sympathique dans la rue pour lui demander assistance. Au bout de vingt-cinq minutes à ne pas réussir à enclencher le truc dans le bidule (langage de jeune mère), nous arrêtâmes un autre passant. Puis, quarante-cinq minutes plus tard, un autre. Trois heures après, une véritable queue tenait siège devant ma voiture jusqu'à attirer la police : « Madame, que se passe-t-il ? Un problème ?

– Ouais, connard, le souci c'est que depuis maintenant cinq heures je ne puis sangler Serialbaby dans son putain de siège. »

Le flic me suggéra de prendre le métro (juste après m'avoir collé un PV pour outrage à agent – 234 euros, merci). Ce que nous fîmes docilement.

*Garde ton calme, même en cas de prise de tête.
Parle avec le lit parapluie, il est ton ami.*

*Débrouille-toi pour avoir toujours auprès de toi
une maman ou un papa plus expérimenté.
Ils te seront utiles dans ces instants-là.*

*N'hésite pas à faire un procès à la société
te vendant un lit ou une poussette censée
se déplier en deux temps, trois mouvements.*

*Ne crains pas de faire dormir ton bébé
à même le sol pendant huit mois.*

"ILS ONT DIT... "

« Avant d'être marié, j'avais six théories sur la façon d'élever les enfants, maintenant j'ai six enfants et pas de théorie. »

John Wilmot, poète anglais du XVIIe siècle

« Dieu ne pouvait être partout, alors il a créé la mère. »

Proverbe juif

« L'accouchement est douloureux. Heureusement, la femme tient la main de l'homme. Ainsi, il souffre moins. »

Pierre Desproges

« Si la théorie de l'évolution est vraie, comment se fait-il que les mères de famille n'aient toujours que deux mains ? »

E. Dussault

« Maman, c'est toi sur cette photo ? Comment t'étais belle AVANT ! »

Serialfiston

« Avant, j'étais une mère parfaite. Mais ça, c'était avant d'avoir des enfants. »

Moi

LES ENFANTS NE SONT PAS COMME NOUS

Venus d'une planète lointaine, ayant des habitudes de vie distinctes des nôtres, manifestant un goût prononcé pour des choses étranges : ce sont les enfants. Au début, ça nous échappe, mais au fil des mois, il faut se rendre à l'évidence : ces petits êtres sont différents.

10 FAÇONS DE VOIR ET DE PENSER : SELON LES ENFANTS, SELON LES ADULTES

Certes, les enfants sont des adultes en devenir, mais ils ont pourtant leur propre vision du monde. La preuve en dix points.

✳ Quand nous (adultes) voyons un nuage, nous voyons... un nuage. Eux (les enfants) voient un monstre, un loup, une fée, un dinosaure.

✳ Quand nous voyons un lit, nous voyons un meuble qui sert à dormir et/ou faire des câlins. Eux voient un trampoline.

✳ Quand le rouleau de Sopalin est en bout de course, nous voyons un rouleau de Sopalin vide. Eux voient une épée.

✳ Quand nous voyons deux amants s'embrasser sur la bouche, nous voyons une manifestation de l'amour. Eux voient un truc « trop dégueu, beurk-beurk-beurk ».

✳ Quand nous voyons une salle de classe, nous pensons « savoir et culture ». Eux voient l'enfer sur terre.

✳ Quand, malades, nous voyons un médecin, nous pensons « guérison ». Eux pensent « horreur, bourreau, monstre ».

✳ Quand nous voyons une place libre sur le canapé, nous pensons « détente, relaxation, tranquillité ». Eux pensent : « Tiens, et si j'allais m'asseoir sur sa tête pour lui crier des chansons hyper fort dans les oreilles ? »

✳ Quand nous leur offrons des poupées ou des petits soldats, nous voyons des jouets. Ils voient des femmes et des soldats.

✳ Quand nous leur donnons à manger des épinards, nous pensons « fer et force ». Ils pensent « vomi, dégoûtant ».

✳ Quand nous (les mères) voyons leur père changer une ampoule grillée depuis quatre mois, nous pensons : « Enfin ! » Eux pensent : « Papa est un superhéros ! »

▶ **POST IT** ◀

Essayer le temps d'une journée d'inverser les rôles. Ils seront les parents, nous les enfants.

Ne jamais oublier que nous aussi, nous en étions (des enfants, pas des Martiens).

LE BAIN DE MAMAN
VERSUS LE BAIN DE L'ENFANT

Avant, lorsque tu n'avais pas d'enfant, le mot « bain » évoquait plein de bonnes choses : détente, repos, cocooning, sommeil, lecture de magazines, masques de beauté, huiles essentielles. Bref, avant le bain c'était LE moment que tu savourais.

Depuis que tu as un enfant, tout a changé.

Désormais, le bain sert à laver Junior. Et à te rendre hystérique. Un point c'est tout. Lorsqu'il était tout petit et qu'il ne tenait pas assis, le bain était synonyme de panique : « Comment je vais lui mettre le savon ? Avant ou après l'avoir mouillé ? HELP. Nan, parce qu'à l'hôpital, la sage-femme a dit de le savonner avant, mais bon moi je vois pas comment ça peut mousser s'il est pas mouillé ? Et puis après, comment je peux le laver tout en lui tenant la tête ? Sa tête si petite et si fragile. HELP. Et puis comment attraper la serviette sans lâcher l'enfant et le noyer ? HELP. Et s'il fait pipi juste en sortant du bain, voire pire, la grosse commission ? HELP. »

Dès que l'enfant grandit un peu, tu l'enfonces dans son siège de bain, tu le regardes gigoter, tu le savonnes, tu lui montres un canard, il l'attrape, tu fais « coin-coin », il rit (se fout-il de ta gueule ? Certainement), tu le sors, tu l'emballes comme un gros paquet. Tu le sèches en mode « linge délicat » et hop, le tour est joué !

Dès qu'il se tient assis, la baignoire devient son terrain de jeux préféré. Un peu de mousse par-ci, un peu de splashs par-là (surtout sur le sol) et plein d'idées géniales. L'enfant aime prendre son bain, mais attention, pour lui ce moment ne signifie pas « détente » comme de ton point de vue de mère crevée.

Lui, il prend un peu de savon, il lave son bateau en plastique avec ton après-shampoing pour cheveux ultra-secs de mère naze shoppé 346 euros sur un site australien, il fait « coin-coin » en t'imitant d'un œil moqueur, il prend son gant de toilette et le mâchouille, il se met debout puis soudainement se rassoit et ruine tes murs tout juste repeints, il chante très (trop) fort, il fait une bataille navale entre dinosaures et lions en plastique, il trouve les boules pour le bain que tu as achetées pour TON bain et les éclate une à une avec ses petits doigts, il fait caca dans l'eau et trouve ça super drôle, il met en marche la douche et arrose le plafond – ce qui risque de provoquer la colère de Mme Michu, ta voisine du dessus –, il fabrique de la « soupe » avec de l'eau sale et toutes sortes de vieux savons trouvés au bord de la baignoire, il te demande de goûter sa soupe, il se savonne en s'en mettant plein les yeux et hurle, il déteste se laver les cheveux, il essaie le shampoing anti-chute de son père et se flingue les pupilles, il décide d'aller aux toilettes deux minutes après être entré dans la baignoire, il te sermonne car le bain c'est pas écolo, il rouvre le robinet et fait couler de l'eau gelée, il rit, il crie qu'il veut sortir et il dit que dans le bain, sa peau est devenue vieille comme la tienne.

Bref, il ne viendrait JAMAIS à l'idée d'un enfant de prendre un magazine et de ne rien faire dans son bain. Lorsque l'enfant est sorti et enpyjamé (nouveau mot créé par moi-même, je fais ce que je veux, d'abord), tu es tellement rincée par l'épisode de son bain que tu n'envisages même plus d'en prendre un.

Une tisane et au lit, va !

Savais-tu que le petit canard en plastique était aussi un jouet sexuel ? (Je dis ça, je dis rien…)

*Quand tu prends TON bain,
prévois toujours TA bouteille de shampoing
au coin de la baignoire pour éviter de sentir
le bébé après. (À l'inverse, retire TES produits
du champ de vision de tes enfants
quand c'est leur tour.
Un gosse qui sent le parfum d'adulte,
ça peut être bizarre, voire grave.)*

TOUT CE QU'ON DIT
À NOS ENFANTS DE FAIRE
(MAIS QU'ON NE FAIT PAS, NOUS)

Fais pas ci, fais pas ça, dis bonjour à la dame, lave-toi les mains dès que tu rentres de l'école, ne parle pas la bouche pleine, ne regarde pas la télé, ne dis pas de gros mots, ne coupe pas la parole. Ah ça, pour donner des leçons, nous autres Serialparents sommes là ! Mais lorsqu'on ouvre les yeux et les oreilles, on se rend compte que nous ne respectons pas ces enseignements. (Enfin, je parle pour la catégorie des parents imparfaits, les autres sont formidables – et un peu louches aussi.)

Or, un jour ou l'autre, on risque de se faire prendre en flag par l'enfant : « Maman, pourquoi tu dis juste "Bonjour", et pas "Bonjour, MADAME", alors que moi je dois dire "MADAME" ? »

« Et pourquoi tu fumes alors que tu dis que c'est pas bien de fumer ? »

« Et pourquoi tu mets les coudes sur la table alors que moi, si je le fais, tu dis que c'est pas beau ? »

« Et pourquoi tu as dit que Mme Michu est "une grosse conne qui fait chier" alors que moi je peux pas dire de gros mots ? »

« Et pourquoi tonton Biiiip, bah, il rote alors que tu dis qu'il faut garder ces bruits-là pour soi ? »

« Et pourquoi une fois tu as mis ton doigt dans ton nez ? »

« Et pourquoi des fois tu regardes des trucs longtemps à la télé alors que moi j'ai pas le droit ? »

« Et pourquoi tu t'es pas lavé les mains en sortant des toilettes alors que moi je dois le faire tout le temps ? »

Le serialkid est un animal malin et observateur, ne l'oublie jamais. Face à lui, une règle d'or : LA VIGILANCE !

(Sur ce, j'te laisse, vais bouffer des bonbons, dire des gros mots et du mal de ma voisine.)

> **POST IT**

La prochaine fois, au lieu d'acheter un gosse, achète un chien. Moins castrateur.

Et puis merde, réponds-lui que lorsqu'il aura 59 ans, il fera ce qu'il voudra.

10 MOMENTS
OÙ JE ME RENDS COMPTE
QUE MES ENFANTS GRANDISSENT
(ET QUE JE VIEILLIS)

Par un miracle auquel moi seule je crois, le temps passe mais moi j'ai toujours 16 ans. Sauf que… sauf que j'avoue me rendre compte que mes enfants grandissent et que donc fatalement ça doit vouloir dire que je « grandis » aussi.

À plusieurs reprises ces derniers mois j'ai constaté la chose :

* Quand ma serialprincesse connaît mieux que moi les paroles de *Call Me Maybe*.

* Quand je suis fatiguée au bout de deux heures de marche alors qu'eux pètent la forme.

* Quand mon serialfiston m'apprend des choses, par exemple le nombre de pays dans le monde (197 pour ton info).

* Quand mes serialkids font leur life et invitent des potes à dormir à la maison sans même me consulter.

* Quand ma serialprincesse me dit : « Non, maman, je suis pas un bébé, quoi. Je sais faire mes lacets toute seule ! »

* Quand je suis invitée à une réunion de « mères de l'école » et que oui, c'est bien de moi qu'il s'agit.

* Quand la boulangère ne me dit plus que je fais jeune et m'appelle « madame ».

✳ Quand ma fille me fait la leçon sur le temps de cuisson des pâtes.

✳ Quand mon fils me dit : « Oh bah, maman, tu crois vraiment que les bébés poussent dans des choux ? Ouh, là, là, tu ne sais pas grand-chose ! T'as jamais entendu parler des spermatozoïdes et du sexe ?! »

✳ Quand mes enfants voient une pub pour une crème anti-rides et me regardent avec insistance.

POST IT

Un jour, eux aussi seront des adultes vieux et rabougris.

Non, on ne vieillit pas, c'est EUX qui grandissent.

LES ENFANTS, CES ÊTRES DIFFÉRENTS : LA NEIGE

Intérieur jour, février, 8 h 55, quelque part en France (là où on se les pèle, tu sais ?).

Le serialkid se lève, le bout des pieds tout froid, le doudou qui pue tout chaud. Il ouvre un œil puis les rideaux et pousse un criiii : « Maman, il neige, c'est tellement trop super génial ! »

La serialmother se lève à son tour, le bout des pieds/doigts/cheveux ou du nez/visage/corps tout entier tout froid, l'haleine qui pue toute chaude. Elle ouvre un œil puis les rideaux et pousse un criiii : « Oh, merdouille, il neige, c'est tellement trop pas ce dont j'ai envie. Pour la peine, je vais aller me recoucher, tiens ! »

Alors que la serialmother décide donc de se remettre sous sa couette – « trop froid-trop froid-trop froid » –, le serialkid saute partout tel un Marsupilami en transe – « trop bien-trop bien-trop bien ». Puis un flot de paroles sort de sa petite bouche : « Maman, on s'habille ? On prend des carottes pour le nez ? Une écharpe ? Un chapeau ? Je mets des collants ? Elles sont où, mes chaussures de ski ? J'enfile un bonnet ? J'arrive pas à mettre mes gants ! Je pourrai manger la neige ? On a le droit de faire des batailles de neige ? On peut faire du patin sur le caniveau qui a gelé ?... »

Devant tant d'enthousiasme, la serialmother décide de tuer un ours, de se l'enfiler sur le dos et d'affronter les – 12 °C.

Extérieur jour, 10 h 26, quelque part en France : de la neige, une mère congelée et un enfant réjoui.

Alors que la serialmother a les lèvres bleues et qu'elle se voit mourir de froid doucement, le serialkid, par un mystère non élucidé, met ses mains sans gants dans la neige, construit un bonhomme et entreprend même de lui façonner une femme.

Soixante-treize minutes plus tard, quand le bonhomme de neige a non seulement une femme mais aussi une famille de quatre enfants et un chien, la serialmother dans un dernier soupir murmure : « Petit lapin, j'ai très froid, on rentre ? » Et le petit lapin répond : « Mais pas moi, et puis c'est trop super la neige, j'aime bien avoir froid ! »

Cette fois, c'est sûr, enfants et parents, nous sommes trop différents pour cohabiter.

▶ **POST IT** ◀

Réveille-toi toujours la première si Miss Météo a annoncé du grand froid la veille. S'il neige, ferme les volets afin que l'enfant ne le sache en aucun cas.

Si jamais par malheur il s'en rendait compte, planque ses chaussures sous le canapé afin de l'empêcher de sortir. À la guerre comme à la guerre !

10 POINTS QUI PROUVENT QUE LES ENFANTS SONT DIFFÉRENTS : LES VACANCES D'ÉTÉ

En vacances, la théorie EDDLP (« Enfants différents de leurs parents ») se confirme.

✳ Ils peuvent rester des heures au soleil sans porter de lunettes et sans avoir mal aux yeux pour autant.

✳ Ils passent leur journée à sauter dans la piscine sans même trouver ça lassant.

✳ Quand tu leur demandes de t'aider à éplucher des oignons, ils sont ravis. (L'enfant ignore encore tout des larmes qui picotent. Novice en oignons.)

✳ Ils adorent ramasser des bestioles affreuses comme les araignées, les scorpions, les abeilles. (Ils leur fabriquent même des maisons et les mangent parfois. Grands fous…)

✳ Ils ne font pas la grasse mat alors que bon… c'est LE moment, quoi.

✳ Ils ont hâte que l'école reprenne (ils sont vraiment chelou, non ?).

✳ Ils ne sont jamais fatigués (même après une randonnée, quatre heures de plage à courir partout et seulement cinq heures de sommeil).

✳ Ils ne lâchent pas prise : l'été, c'est le festival des questions, ils s'en donnent à cœur joie. (« Combien tu as de cheveux ? Combien y a-t-il de Monoprix en France ? En années de chien, j'ai quel âge ? »)

✳ Ils mangent du sable.

✳ Ils ont envie de tripoter ton iPad enfermés dans leur chambre alors que toi tu as décidé de les emmener dans la plus belle région du moooonde.

▶ POST IT ◀

Ne pas partir en vacances avec tes enfants.

Louer un transat pour toi, les laisser dans le sable. Bah quoi ? Ils aiment ça, alors...

J'AI ESSAYÉ DE ME FAIRE DES COPAINS À LA PLAGE COMME MES ENFANTS

Sur une plage, n'importe quel serialkid se lie d'amitié avec un autre serialkid en trois minutes. (Ils se reconnaissent entre eux, c'est évident – « Tu es un enfant ? Moi aussi, devenons les meilleurs amis du monde. »)

À la plage, un jour d'été, j'ai observé ma serialprincesse à la loupe. Je l'ai contemplée avec son 1 m 05 tout neuf, je l'ai trouvée grande, je l'ai trouvée dégourdie, je l'ai trouvée indépendante. Elle s'est assise auprès d'une petite fille du même âge qu'elle environ (1 m 09 à vue de nez) et elle s'est mise à lui parler pendant une heure. Elles ont évoqué ~~le conflit israelo-palestinien, l'entrée de la Turquie dans l'UE, le droit de vote des étrangers~~, les châteaux de sable, la pression des vagues sur les pâtés, l'éternel débat « Dora ou Hello Kitty ? », le dilemme entre glace à l'eau et glace à la crème.

Ensuite, elles se sont fait des câlins, des bisous, elles ont dit qu'elles étaient les meilleures amies « du monde entier », qu'elles s'ado-raient, qu'elles allaient se revoir tous les jours, qu'elles allaient dor-mir ensemble, qu'elles allaient échanger leurs maillots de bain (?!) et qu'elles seraient des princesses-sirènes de la mer pour toujours (?!).

Moi, j'ai eu le temps de finir mon livre, de prendre un coup de soleil, de me mettre de la crème, de faire une pause, de manger de la pastèque, d'observer les nuages et même de leur trouver des formes. (J'en ai repéré un qui ressemblait à un sac du soir, ce qui m'a paru bizarre, mais après tout, pourquoi pas ?)

Du coup, le lendemain, j'ai décidé de me faire une copine à la plage, comme ma fille.

Je me suis assise à côté d'une femme d'environ mon âge (1 m 65 à vue de nez) qui, comme moi, avait une serviette orange. Ce fut mon entrée en matière : « Oh, toi aussi tu as une serviette orange, c'est cool. » (Dialogue sponsorisé par *Secret Story*.)

La femme m'a toisée de la tête aux pieds et dans sa tête je savais qu'elle pensait que j'étais folle. J'ai aggravé mon cas en lui demandant : « Tu veux faire un château de sable ? On pourrait… euh, j'sais pas, moi… On pourrait faire le château de Raiponce ? Mais d'abord j'ai super envie de faire pipi donc tu peux venir avec moi aux toilettes, s'te plaît ? » La nana a pris sa serviette orange et a détalé.

Voilà comment je ne me suis *pas* fait de copine à la plage et voilà comment je vais devoir trouver une raison sociale (autre chose qu'une vulgaire serviette orange) pour nouer de nouveaux contacts saisonniers.

Ma fille : 1 point/Moi : 0.

Ce que l'enfant fait, l'adulte ne le peut pas.

**(Mais) ce que l'adulte fait,
l'enfant ne le peut point.**

**Pour se faire des potes à la plage, sors ton porte-
monnaie et paie un verre à tout le monde (je sais,
l'argent, c'est sale, mais il faut ce qu'il faut).**

10 RÉSOLUTIONS CÔTÉ ENFANTS, CÔTÉ PARENTS

Chez les parents et chez les enfants, forcément, ce ne sont pas (du tout) les mêmes bonnes résolutions qui se manifestent au mois de septembre ou de janvier. La preuve en dix points.

✳ Les parents décident que cette année, enfin, ils vont faire du sport et perdre du poids. Les enfants décident de manger encore plus de bonbecs et de rire à chaque fois qu'ils entendront : « Pour bien grandir, mange au moins cinq fruits et légumes par jour. »

✳ Les parents décident de s'autoriser des moments à deux, sans enfants. Les enfants décident de pourrir les grasses matinées des parents à base de « Chui debout, chui debout, chui debout » à 6 h 12 le dimanche.

✳ Les parents décident de lire chaque soir une histoire de Kipling à leurs serialkids à la lueur de la bougie. Les enfants ne veulent qu'une chose : jouer encore plus à la DS et faire taire leurs parents.

✳ Les parents décident de travailler plus pour gagner plus. Les enfants décident que l'école, c'est « nul ».

✳ Les parents décident de faire des super sorties en famille pour souder les liens. Les enfants veulent juste regarder encore plus la télé, enfermés et sans parler à personne.

✳ Les parents décident que cette année, plus aucun jouet ne traînera dans le salon. Au jour 3 de la nouvelle année, les enfants ont déjà décidé de transformer le salon en France Miniature de Lego.

✳ Les parents décident qu'ils vont être hyper à cheval sur la politesse. Les enfants décident que les conventions sociales, c'est pour les adultes.

✳ Les parents décident de donner des punitions qu'ils tiendront. Les enfants décident que quand maman dit : « Je vais te punir », il ne faut vraiment pas plus la croire qu'avant.

✳ Les parents décident de prendre un bain pour se détendre une fois par semaine au moins, vers 21 heures. Les enfants décident que 21 heures, c'était toujours l'heure idéale pour crier : « Mamaaaan, papaaaa, j'ai envie de faire pipiiii ! »

✳ Les parents décident de tenir leurs promesses (au moins quatre jours). Les enfants décident de tenir leurs promesses (au moins deux cents ans).

ENCORE UN MATIN...
(OU « LES SERIALKIDS
ET LES SERIALPARENTS N'ONT PAS
LA MÊME VISION DU MATIN »)

Donc, le matin, c'est le speed, le stress, les yeux pleins de sommeil. Et donc, c'est (encore) le moment de constater un écart considérable entre la façon de penser des serialkids (the others) et la nôtre, nous les serialparents.

Exemple (toute ressemblance avec des personnes existantes serait totalement pas fortuite) :

7 h 12

Le réveil sonne. Maman pense : « Moua, envie de dormir, je m'accorde encore quatre minutes, je me lève à 7 h 16. » Pendant ce temps... les serialkids sont déjà debout en train de se déguiser (ouais, se déguiser à 7 heures, c'est « trop chouette »).

7 h 28

Serialfather et Serialmother se prennent un bon café pour « oublier » (le café est au matin ce que le verre de rouge est au soir). Pendant ce temps... les serialkids renversent leurs céréales partout.

7 h 37

Les parents prennent leur douche pour se tonifier. Les enfants ont sorti leurs feutres, leur boîte de peinture, leurs feuilles et se mettent à faire une œuvre d'art. Normal.

7 h 46

Les serialparents s'habillent. Ça, c'est la version officielle car en vrai ils se recouchent pour gratter six minutes de sommeil supplémentaires. Pendant ce temps… les serialkids mettent leur slip à l'envers, le pied gauche au pied droit. Donc perte de temps totale pour tous.

8 h oo

Les serialparents tentent d'écouter France Info tandis que les serialkids se chamaillent à coups de chausse-pieds et de cuillères en bois en sautant partout sur les lits.

8 h 12

Les serialparents prennent leurs sacs et leurs sacoches. Pendant ce temps, les serialkids ne trouvent plus leurs manteaux : « Ah, oups, j'sais plus où j'l'ai mis. » Tout le monde s'énerve, cherche les blousons et finalement la sentence tombe : « Pas de blouson en vue, tant pis, mets ta doudoune. » Sachant donc qu'il risque de faire 32 °C puisqu'on est en juin.

8 h 17

Les serialparents se traînent péniblement dans la rue vers l'école tels les zombies dans *La Nuit des morts-vivants*. Pendant ce temps, les serialkids chantent à tue-tête *Gangnam Style* en faisant la choré de la *Macarena* (ce qui est un challenge presque aussi difficile que de se taper sur la tête avec une main tout en dessinant des ronds sur son ventre avec l'autre, mais l'enfant aime les défis).

8 h 28

Les serialparents ont bien envie de se recoucher et leurs yeux se ferment doucement mais sûrement dans le bus. Pendant ce temps, les serialkids vont faire leurs 35 heures. En doudoune, donc.

10 h 15

Les serialparents ouvrent leurs boîtes mail, vont jeter un œil sur les réseaux sociaux, bâillent, prennent deux Doliprane. Pendant ce temps, les serialkids jouent à « chat perché » ou à « attrape garçons dans la cour ».

11 h 20

Les serialparents sont en pause café (la cinquième de la matinée). Pendant ce temps, les serialkids déjeunent. Au menu : purée de carottes et poisson pané.

Un matin banal entre deux mondes parallèles.

▶ **POST IT** ◀

Le matin, c'est chacun pour soi.
Ils la veulent, leur indépendance ?
Ils l'auront, à leurs risques et périls.

Prends des vitamines.

10 AUTRES POINTS
QUI PROUVENT QUE LES ENFANTS
SONT DIFFÉRENTS DES PARENTS

✳ Un bébé pleure quand il ne veut pas aller se coucher. Un adulte rêêêêve d'aller se pieuter après sa journée de boulot.

✳ Un enfant rêve de devenir président de la République. Un adulte sait bien que c'est un métier voué à l'échec et au ridicule.

✳ Un enfant rêve d'être un adulte. Un adulte rêve d'être un enfant.

✳ Un enfant aime jouer au mort. Un adulte a peur de vieillir et de mourir.

✳ Un enfant aime se réveiller tôt. Un adulte aime se lever tard.

✳ Un enfant pose des questions sur tout et n'importe quoi sans écouter les réponses. Un adulte a renoncé à s'en poser trop.

✳ Un enfant aime manger des trucs trop bizarres comme des bonbons qui arrachent la langue. Un adulte mange bio.

✳ Un enfant aime le bruit. Plus il y en a, mieux c'est. Un adulte ne rêve que de calme et de silence.

✳ Un enfant aime la répétition : quinze fois le même film en deux jours, douze fois la même question en trois minutes... Un adulte aime le changement.

✳ Un enfant croit tout ce qu'on lui dit. Un adulte ne croit rien de ce qu'on lui dit.

POST IT

Amuse-toi, toi aussi, à répéter quinze fois de suite la même question à tes gosses.

Déboule tôt chaque matin dans leur chambre en jouant du tambour et en gueulant : « Allez, debout ! Debooooout ! » Vengeance...

10 TRUCS
QUE J'AI ENVIE DE FAIRE LE WEEK-END AVEC MES ENFANTS *VERSUS* EUX

Le week-end est encore un moment de la vie où force est de constater que les enfants et les adultes viennent de deux planètes différentes.

✳ Moi, j'ai envie de dormir. Ils veulent sortir au parc, faire quarante-huit tours de manège, aller manger une glace, inviter des copains à jouer, regarder un peu la télé, danser.

✳ Je veux prendre le temps de ranger mes photos et de faire des albums. Ils veulent prendre lesdits albums, dessiner dessus, ajouter du scotch et des grains de riz.

✳ Je veux acheter des viennoiseries à la boulangerie. Ils veulent faire des gâteaux, idéalement huit différents.

✳ Je veux me reposer. Ils décident d'avoir 40 de fièvre (va trouver un médecin le dimanche).

✳ Je veux lire. Ils veulent me sauter dessus et fabriquer des avions en papier avec mes livres.

✳ Je veux leur raconter comment j'ai rencontré leur père, vidéo du mariage oblige. Ils veulent juste savoir comment on peut changer le DVD afin de mettre *Angelo la Débrouille*.

✳ Je veux faire une balade en forêt. Ils veulent aller jouer dans une aire de jeux indoor.

✳ Je veux leur faire faire un scrapbook-journal intime de souvenirs. Ils me demandent avec des airs de préados : « À quoi ça sert, c'est nul, y a Internet maintenant, j'ai qu'à me créer un globe (comprendre "un blog"). »

✹ Je veux les emmener au cirque, qu'ils rêvent en écarquillant leurs yeux. Ils veulent y aller puis s'endorment au bout de cinq minutes (à 90 euros la place, je suis RAVIE).

✹ Je veux rester au lit et leur faire des câlins. Ils veulent aussi (miracle ? non je ne crois pas, ce doit être une erreur de leur part).

▶ **POST IT** ◀

Faire une liste des cinq trucs que tu veux faire toi. Leur faire faire une liste des cinq trucs qu'ils veulent faire eux. Mélanger le tout et en choisir trois.

Quelque chose met tout le monde d'accord le week-end : un petit DVD (intelligent) à regarder tous ensemble sous la couette !

LE CLIN D'ŒIL : UNE SUBTILITÉ QUE L'ENFANT NE COMPREND PAS

Constat n° 23456 : l'enfant n'a pas toujours la finesse qu'on veut bien lui accorder. Il ne comprend pas tout comme un adulte. J'ai remarqué que l'enfant ne pige pas la subtilité du clin d'œil, par exemple.

Scène de la vie quotidienne, intérieur jour

MOI *(tout en faisant un clin d'œil à Serialfiston qui aura en fait le droit de regarder un DVD)* : Bon allez, on va tous faire la sieste parce qu'on est tous fatigués, surtout toi, Serialprincesse.

SERIALFISTON *(qui ne pige pas du tout, mais alors pas du tout le sens du clin d'œil, et qui se demande si sa mère a un toc ou une poussière dans l'œil)* : Meuh non, euh, c'est pas juste, moi j'ai pas envie ! Tu m'avais promis que je pourrais regarder un DVD !!!

MOI *(tentant un double clin d'œil, ce qui n'est pas évident, je te l'accorde)* : Mais siiii, tu es TRÈS fatigué. OK ?

SERIALFISTON *(dubitatif)* : Maman, t'as un problème avec tes yeux ou quoi ? Parce que t'arrêtes pas de faire des grimaces ?

MOI *(comprenant que le clin d'œil n'est pas du tout compris)* : Bon OK, oui, j'ai un truc dans l'œil, approche-toi et aide-moi à le retirer.

Tandis que Serialfiston s'approche, je lui chuchote en loucedé : « Mais on fait semblant, pour que Serialprincesse aille au lit. Quand je cligne d'un œil, ça veut dire que c'est un secret entre nous. Compris ? »

SERIALFISTON *(qui n'a décidément pas la finesse requise, répond hyper fort)* : AH OK, MAMAN, LE CLIN D'ŒIL C'EST POUR ME DIRE EN SECRET QUE JE DOIS FAIRE SEMBLANT D'ALLER AU LIT !

Serialprincesse a tout grillé. Opération « clin d'œil » échouée.

Le lendemain, Serialfiston a essayé lui aussi de me faire un clin d'œil au moment de me demander devant sa petite sœur : « Maman, je peux aller me coucher, je suis fatigué ? » L'ingrat voulait en fait gratter cinq minutes de lecture. Serialprincesse, qui depuis la veille gardait les deux oreilles et les deux yeux grands ouverts pour contrer toute arnaque à son égard, a trouvé vraiment étrange que son frère ferme les deux yeux d'une façon pour le moins louche. En effet, le fiston, peu habitué aux mensonges d'adultes et autres clignements complices, ne parvenait point à faire de clins d'œil dignes de ce nom. La petite a crié : « Naaaan », ce qui en langage d'enfant signifie : « Vous seriez pas un peu en train de vous foutre de moi ? » L'opération « clin d'œil » n° 2 fut un échec comparable à l'opération « baie des Cochons » de 1961.

▶ POST IT ◀

**N'apprends pas le mensonge à tes gosses,
ils sont siiii naïfs.**

**Si tu veux que le petit dorme
et que l'autre puisse regarder un DVD ou lire,
couche tout le monde, laisse le benjamin
s'endormir et retourne tel un amant
sortir le grand de son lit de façon discrète.**

LE PROBLÈME DU CROÛTON

Je ne sais pas toi, mais j'avais perdu la mémoire et elle m'est revenue lorsque je suis devenue mère d'enfants (à dents).

En effet, quand j'étais petite (oui, parce que malgré le fait que mes enfants croient impossible que j'aie été une enfant un jour, c'est le cas), je détestais le croûton (ou le quignon) de pain. Lorsque ma mère achetait une baguette (tu sais, ce truc qui valait 90 centimes en 1987 et qui vaut 1,15 euros aujourd'hui) et qu'elle voulait bien nous en donner un morceau sur le chemin menant à la maison, la guerre du quignon était déclarée avec ma sœur. Elle ne le voulait pas, je ne le voulais pas non plus et comme il ne fallait pas gâcher, ma mère se tapait tous les quignons. Elle a donc avalé des quignons pendant une quinzaine d'années. Avec le sourire.

En grandissant, je me suis mise à aimer puis à adorer les croûtons. C'est sans doute ça, devenir une adulte, non ? Non ???

Aujourd'hui, le schéma se reproduit avec mes enfants et le quignon a le mauvais rôle une fois de plus. Alors je me sacrifie à mon tour. Avec moins de sourires que ma maman. (Je ne suis pas Mère Courage, moi.) J'en suis à mille cinq cents quignons en sept ans, mon ventre va mal et mon sens du sacrifice a ses limites qui ne devraient pas tarder à être atteintes.

Une légende urbaine raconte que certains enfants (que je ne connais pas) préfèrent les croûtons au reste. Je propose donc la mise en ligne d'un site d'échange de croûtons contre bout non croûtonné entre les enfants de France, quinenveutdemonquignon.com. Je pense qu'il y a un filon. Non ?

C'est la bouche remplie de quignons que je te salue.

▶ **POST IT** ◀

Mange du pain de mie.

Trouve une boulangerie qui fabrique une baguette à bout carré.

Garde les croûtons pour en faire du pain perdu.

CE QUE LES ENFANTS CROIENT

Un enfant est différent car il est naïf. Et ça, c'est chouette.

Les enfants croient que quand tu tires de l'argent à la banque, c'est gratuit.

Les enfants croient qu'être adultes, c'est que du bonheur.

Les enfants croient que leurs parents savent tout.

Les enfants croient que tout le monde est gentil.

Les enfants croient que le père Noël et la Petite Souris existent.

Les enfants croient que le Nutella, c'est bon pour la santé.

Les enfants croient que les frites, c'est un légume sain.

Les enfants croient qu'Eduardo de la pub Tropicana existe vraiment.

Les enfants croient que leur papa est le plus fort et leur maman la plus belle.

Les enfants croient qu'Internet a toujours existé.

Les enfants croient que la guerre n'existe pas pour de vrai.

Les enfants croient que les châteaux de sable sur la plage ne vont jamais être détruits.

Les enfants croient que lorsque deux adultes se disputent, ils sont forcément fâchés pour la vie.

Les enfants croient qu'une maison coûte « au moins 1 500 euros ».

Les enfants croient que les bébés sortent par le nombril.

Les enfants croient que Mickey et Minnie existent vraiment, à Eurodisney.

Les enfants croient que les pièces valent plus que les billets.

Les enfants croient que leur maîtresse est vieille alors qu'elle n'a que 25 ans.

Les enfants croient que les vaches mettent elle-mêmes leur lait en bouteilles.

Les enfants croient que Hello Kitty est belle.

Les enfants croient que les blagues Carambar sont drôles.

Les enfants croient que se réveiller la nuit à douze reprises, c'est normal.

Les enfants croient que les loups se cachent dans les placards.

Les enfants croient que leurs parents sont des superhéros.

Qu'il est bon d'être un enfant !

▶ POST IT ◀

Laisse-les croire. Un jour ils découvriront bien que le père Noël est ton mari. (Comment ça, le vieux barbu n'existe pas ?!)

Dis-leur que les câlins aux parents aident à devenir grand. Héhé.

10 SITUATIONS
DANS LESQUELLES LES ENFANTS
N'ONT PAS HONTE (ALORS QUE NOUS...)

Quelle candeur, quelle naïveté... Les enfants ne connaissent pas comme nous le sentiment dit de « honte ». La preuve :

* Ils peuvent demander sans complexe à une dame dans le bus : « Pourquoi t'es grosse ? Et pourquoi tu sens la poubelle dans ta bouche ? » alors que nous gardons ces vérités pour nous.

* Ils se promènent nus jusque 5-6 ans sans problème. La dernière fois que je me suis promenée nue sans problème c'était... c'était en 1981.

* Ils sont très fiers de crier au monde cette petite phrase : « J'ai fait cacaaaa ! » alors que nous autres adultes n'allons pas aux toilettes. Jamais.

* Chez mamie, ils osent le : « Mais c'est dégoûtant, ce que tu as préparé à manger ! » alors que nous esquissons un petit sourire pincé quand nous avalons (avant de recracher l'infâme substance dans une serviette et de jeter le tout sur le sol pour le chien, qui lui non plus n'en veut point).

* Ils ne gardent rien pour eux de ces petits bruits gênants que nous, les adultes, peinons à contenir en nous.

* Lorsqu'ils reçoivent un cadeau qui ne leur plaît pas, ils disent juste : « Mais c'est trop nul, je voulais même pas ça ! » alors que nous sommes capables de remercier environ quinze fois pour le merveilleux cendrier en forme de cuvette qui nous échoit.

✳ Ils sont francs : « Non, j'ai pas envie d'aller voir tata Josette, ça m'ennuie. » Nous aimerions bien pouvoir dire la même chose mais la notion appelée « politesse » nous en empêche.

✳ Ils peuvent demander à des personnes âgées : « Dis donc, papi, tu es vieux, c'est quand que tu vas mourir ? Bientôt ? » alors que nous assurons à notre grand-père de 102 ans : « Non tu es jeune, la route est encore longue ! »

✳ Les défauts physiques ne sont pas un sujet tabou : « Dis, maman, pourquoi ta copine Dominique elle a de la moustache ? C'est parce qu'elle a un prénom de monsieur ? »

✳ Ils répètent ce qu'on dit et nous foutent la honte (double peine) : « Ma maman, bah elle a dit qu'elle te trouvait bête et radine. Ça veut dire quoi, radine, en fait ? »

POST IT

Ne jamais critiquer les autres (famille, amis) devant les enfants.

Se servir d'eux qui n'ont pas honte pour faire passer des messages. Mesquin, je te le concède, mais très marrant et utile.

"ILS ONT DIT... "

« Je ne suis pas raciste, mais il faut bien voir les choses en face :
les enfants ne sont pas des gens comme nous. Attention.
Il n'y a dans mes propos aucun mépris pour les petits enfants.
Seulement, bon, ils ont leurs us et coutumes bien à eux.
Ils ne s'habillent pas comme nous. Ils n'ont pas les mêmes échelles
de valeurs. Ils n'aiment pas tellement le travail.
Ils rient pour un oui et pour un non. »

Pierre Desproges

« On me dit souvent que je ressemble à ma mère. Mais elle est
différente, elle a des rides. »

Serialprincesse

« Aucun parent ne vit la vie de ses enfants, mais cela ne nous
empêche pas de nous inquiéter. »

Marc Levy

« Les enfants commencent par aimer leurs parents ; devenus
grands ils les jugent ; quelquefois ils leur pardonnent. »

Oscar Wilde

« Un jour, vous serez pères et mères, et vous aurez droit d'attendre
de vos enfants ce que vous-mêmes aurez fait de bien pour les
auteurs de vos beaux jours. »

Citation grecque

« Les enfants et les adultes ne sont pas faits pour cohabiter.
En tout cas pas les trente premières années de vie des enfants. »

Moi

« Il vaut mieux que les enfants rougissent des parents que les
parents des enfants. »

Raymond Queneau

LA NUIT NE SERA PLUS JAMAIS NOIRE

Le sujet des nuits est n° 1 chez tous les parents. Quand tu marches dans la rue, maintenant que tu es papa ou maman, tu lances forcément un regard sur les autres parents et tu as forcément envie de leur demander si leurs bambins dorment la nuit. Cette question est dans le top 3 des questions posées aux jeunes parents après « Comment s'appelle-t-il ? » et « Quel poids faisait-il à la naissance ? ».

Il y a les nuits blanches des bébés, les nuits grises des cauchemars, les nuits rouges de l'inquiétude et parfois les nuits noires (espoir). Bref, désormais et pour quelques mois au moins, nos jours seront plus beaux que nos nuits.

DORMIR LA NUIT
QUAND ON EST (TRÈS) ENCEINTE

Je ne peux pas te parler des nuits des serialkids sans te parler de celles de la femme enceinte car l'enfant est sournois : il instaure sa dictature nocturne avant même d'être démoulé. Tyran, va !

Certes, porter la vie c'est mer-veil-leux. Sauf que...

Combien de femmes enceintes ont du mal à trouver une position ? Je ne parle pas ici de Kamasutra, cela fait longtemps que tu n'y penses plus lorsque tu es en couvade ! (Y pensais-tu seulement avant ?) Je parle d'une position pour dormir. Tout simplement. Pour tenter de sombrer dans les bras de Morphée alors que ton ventre est plus proche du ballon de foot que de la balle de ping-pong, voici les cinq étapes à suivre.

Étape 1 : le roulé-boulé

Tu es là, assise sur le lit, mais tu n'arrives pas à passer en position allongée. Plonge ta tête et ta chevelure en arrière, tends tes bras et allonge ton dos d'un coup sec. Ton tronc est déjà bien installé sur la couette quand d'un tchac-tchac bien senti (mouvement inventé et déposé par Bruce Lee en 1971), tu balances tes jambes pleines de rétention d'eau sur le côté.

Étape 2 : se glisser sous la couette

Bravo, tu as réussi à t'allonger, mais quid de la couette ? Franchement, on n'est pas mieux en dessous ? Oui mais comment, sans redescendre du lit, vas-tu te glisser sous la plume d'oie ? C'est LE moment

de brandir ton arme secrète : le repliage de jambes sur toi-même !
Ensuite dandine-toi en haut de ton lit telle une chenille en surpoids,
repousse la couette avec tes dix orteils puis rabats-la sur toi avec les
mêmes dix orteils. OK, je conçois que si tu n'as pas eu l'occasion d'être
championne de barre au sol russe dans une autre vie, ce sera plus
difficile. Mais ma cocotte, on fait ce qu'on peut avec le ventre qu'on a.

Étape 3 : mince, j'ai oublié ma crème anti-vergetures
Maintenant que tu es allongée sur le dos et sous la couette, tu
réalises que tu as oublié ton livre de Dostoïevski (ouais, genre…
Laisse-moi rire) et ta crème anti-vergetures. Comme il est écrit sur
le pot qu'il faut s'en enduire CHAQUE soir sous peine de vergetures
à vie, tu l'as mauvaise. C'est à ce moment-là que tu sors ton joker,
j'ai nommé : ton homme. Demande donc au futur père de te rendre
ce service. Suffit pas de planter la petite graine, faut être là aussi en
cas d'urgence, hein ! Et l'oubli de cette crème est un cas d'extrême
urgence. Évidemment. (Le livre de Dostoïevski moins, ça va de soi.)

Étape 4 : trouver sa position
Quelle position pour dormir quand ton bidon est plus gros que
les têtes des deux frères Bogdanoff réunies ? Il faut évidemment
exclure de se mettre sur le ventre sous peine d'écrasement du bébé
et de jambes flottant dans les airs.

Tu peux choisir de dormir sur le dos mais tu risques de ne pas
savoir comment placer ta tête et de te causer un torticolis.

Reste la position du côté. Si tu es du genre stressée, tu auras peur
de lui appuyer sur la main droite (ou sur la gauche) et de faire de
ton héritier un Capitaine Crochet en herbe ou un môme à tête plate
unilatéralement. Mais n'aies crainte, tout ira bien.

Enfin, si tu n'es pas convaincue, tu peux toujours dormir
debout, mais par amitié, je te le déconseille si tu n'appartiens pas
à l'espèce chevaline. Ce qui de toute évidence est le cas, puisque
les chevaux ne savent pas lire, jusqu'à preuve du contraire.

Étape 5 : se relever
Une femme enceinte a souvent envie/besoin de se relever la nuit
pour aller aux toilettes. Trop de pression (pardonne-moi ce mauvais
jeu de mots, je n'ai pas pu m'en empêcher).

Or, à 2 h 37 ton cher et tendre est d'humeur ronfleuse et endormie. Un vent de panique s'empare de toi, tu entends même la musique de *Psychose* dans ta tête. Mais diable, comment vas-tu faire ? Reprends la technique du roulé-boulé (étape 1) dans le sens inverse ou fais-toi prêter une sonde par ton arrière-grand-mère.

Voilà, chère amie, sur ce, bonne nuit !

▶ POST IT ◀

Une femme enceinte doit arrêter de boire (de l'eau) dès 18 heures.

Dans un pays lointain et inconnu, il paraît que les femmes enceintes dorment comme les chauves-souris, la tête en bas, mais je le déconseille fortement.

Si une nuit la femme enceinte de neuf mois ressent de fortes douleurs, c'est sans doute la faute du matelas. Quoi d'autre, sinon ?

UN BÉBÉ QUI « FAIT SES NUITS » NE DORT PAS NÉCESSAIREMENT

Donc, une fois l'enfant évacué de sa planque, on s'attend à ne connaître « que du bonheur ». C'est sans compter avec les nuits. Non, « dormir comme un bébé » ne signifie pas dormir à poings (et yeux) fermés pendant douze heures non-stop. Cette expression veut tout simplement dire, pour les parents : « avoir une nuit hachée, pourrie et mortelle ». Moi qui viens d'une famille au sang de marmotte, j'ai enfanté deux hiboux. J'ai bien tenté des méthodes lues ici et là pour les persuader qu'à 3 h 23 du matin, il n'est franchement pas raisonnable d'être éveillé, mais ils n'ont jamais rien pigé. Et ça a duré deux ou trois ans comme ça.

Le bébé ne parle décidément pas le même langage que nous. Nous (adultes de l'espèce humaine) aimons dormir et dès que l'occasion se présente et qu'un oreiller nous tend les bras, nous plongeons. Eux non. Tu sais pourquoi ? Parce que ce sont des aliens qui dorment le jour et te pompent ton énergie la nuit. À bien y penser, ce sont plutôt des vampires. Dès l'arrivée, on t'explique que tu vas aisément reconnaître ses pleurs et pouvoir d'un coup d'oreille savoir si l'enfant a faim, mal, sommeil, fait un caprice, a peur... N'empêche, moi, on m'a pas filé le décodeur à la maternité, et j'ai eu une communication (et un cerveau) brouillée pendant de longs mois.

Jusqu'à ce qu'un jour une dame me demande combien d'heures Junior dormait d'affilée.

MOI (*en mode marmotte énervée*) : Ché pas. Quatre heures max.
ELLE (*en mode « je sais tout »*) : Bah alors, de quoi vous vous plaignez ? Il fait ses nuits !
MOI (*à peine convaincue*) : Ah bon ? Nan, parce que moi si je me couche à minuit et que je me lève à 4 heures du matin, j'appelle pas ça une nuit.
ELLE (*en mode « approche-toi que je te fasse une confidence »*) : Mais ma pauvre, les bébés font LEURS nuits, pas les vôtres, et quatre heures trente d'affilée, c'est faire une nuit pour eux. Personne ne vous l'a dit ?

Suite à cette conversation, je me suis renseignée autour de moi et j'ai découvert un truc… mais un TRUC ! Chaque parent a en fait son échelle de valeurs de la nuit. Quand certaines mères hyper fières clament haut et fort que leur rejeton de trois jours fait ses nuits, ce qu'elles oublient de préciser (les perverses), c'est le nombre d'heures que Bébé accumule en une seule et même prise. Moi je dis qu'en dessous de huit heures d'une traite, ça compte pour du beurre. Je mets même au défi la terre entière de me prouver qu'un enfant de moins de trois mois fait vraiment ses nuits. Si jamais tu es de l'espèce des parents qui ont des enfants dormeurs, je te donne un conseil : ne le dis à personne. (Oui, j'avoue, j'en ai pas mal bavé et je l'ai assez mauvaise.)

Par la suite, quand l'héritier daigne apprécier le repos, d'autres éléments perturbateurs (dents, pipis, cauchemars, douleurs) viendront encore t'emmerder.

Tout est une question de patience.

Ne crie jamais victoire
lors de la première vraie nuit.
L'enfant est fourbe et comédien.

Fais-toi livrer un camion entier de vitamines C.
(Je dis ça, je dis rien.)

Respecte une maman fatiguée,
c'est comme lors d'une garde à vue prolongée,
elle peut avouer n'importe quoi.
N'en profite pas, ce serait bas.

10 FAÇONS
D'ÊTRE SÛRE QUE TON ENFANT
NE DORMIRA JAMAIS BIEN LA NUIT

Si jamais tu avais des visées différentes des miennes et que, pour coller à ta réputation de maman marginale, tu avais envie que JAMAIS ton enfant ne dorme, suis ces conseils à la lettre.

✳ Chauffe sa chambre à 35 °C et emmaillote-le dans une grenouillère en laine polaire. Surtout l'été.

✳ Favorise le non-rituel du soir : pas d'horaires fixes, pas de berceuses, du bruit, de la fumée de clope dans son nez, pas de dîner et jamais de câlins.

✳ Prends son doudou et sans prévenir coupe-le en douze morceaux sous ses yeux puis vaporise le parfum de ta voisine dessus.

✳ Fais-lui croire qu'il va rester tout seul, que tu sors avec Serialfather et que tu n'as pas pris de baby-sitter.

✳ Insiste pour le faire dormir le jour.

✳ Place un mobile en forme de monstre qui diffuse du heavy metal à 234 décibels au-dessus de son lit.

✳ Chaque soir, serine-lui que tu l'as trouvé dans une poubelle (ou dans un congélateur, c'est toi qui vois).

✳ Répète en boucle : « Je ne t'aime pas, je ne t'aime pas et cette nuit les loups vont venir te dévorer. »

✳ Ne laisse jamais de veilleuse rassurante près de son lit. T'es pas actionnaire chez EDF à ce que je sache ?

✳ Greffe une télévision au-dessus de son front.

Si malgré cela l'enfant parvient à sombrer dans un profond sommeil, prends ton mal en patience et n'hésite pas à le réveiller brutalement au milieu de la nuit en criant : « C'est la fin du monde… La fiiiin du moooonde. »

LE PAPA FAIT SES NUITS.
PAS MOI. NI LE BÉBÉ

« Alors, il fait ses nuits ? »

À cette question horripilante, j'ai toujours répondu : « Oui, évidemment. Couché à 21 heures sans râler, réveillé à 7 h 30 avec le sourire. D'un trait ! Un dormeur, un vrai de vrai ! »

Oui, le papa fait ses nuits. Par un phénomène étrange qui touche beaucoup de parents, le papa devient sourd. La nuit uniquement. (Note à l'intention du lecteur mâle : pas tous les papas évidemment, ne le prends pas mal. Juste 96 % d'entre eux, d'après une étude menée sur un panel de papas que je connais bien. Source : Ipsos/ Serialmother.)

Un matin le mâle se réveille la peau rose, l'œil vif (et le poil doux) et balance avec cet air satisfait que seuls ont les hommes qui veulent tirer les bénéfices d'une victoire qui ne leur appartient pas : « J'ai drôlement bien dormi. Il est génial, ce gosse. Faire ses nuits à deux mois, c'est top. On a de la chance, chérie. Chérie ?...» La chérie en question se réveille au même moment, la mine triste, le teint blême (l'ombre d'elle-même), l'œil vide (quoique rempli de larmes) et répond la voix chevrotante : « Ah bah c'est sûr que toi, t'as de la chance. Toi, t'as bien comaté. J'espère que lorsque je me suis levée, je ne t'ai pas trop perturbé ? Cette nuit, tu as dû une fois de plus oublier de brancher ton sonotone, non ? »

Le mâle prend alors sa tête de celui qui fait semblant de ne pas comprendre : « Ah bon il a pas dormi ? Mais je n'ai rien entendu. »

Arrêt sur image

Souvent l'homme ment quand il s'agit des nuits de ses gosses. Pour repérer un papa menteur, il y a des signes qui ne trompent pas. S'il se met à tourner la tête en faisant mine de chercher son caleçon, s'il commence à transpirer subitement, s'il esquisse un petit sourire quasi non repérable, s'il se prépare à contre-attaquer en ouvrant la bouche très grand sans qu'aucun son ne sorte, s'il attrape son i-bidule pour voir si son boss l'a appelé, s'il tente de simuler un mal de ventre, s'il dit : « Attends, chérie, bouge pas, je vais lui changer la couche » alors qu'il est 7 h 30 et que Bébé a fait la grosse commission, s'il te regarde et ose un : « Mais même avec des cernes tu es la plus belle du monde », s'il soulève la couette et te demande de te recoucher « pour ton bien, chérie », s'il accuse les piles du baby phone, s'il essaie de te signifier que son bébé (le *sien*) n'a sans doute pas pleuré et que tu entends des voix, s'il conclue avec un : « Oui mais moi j'ai des grooooosses journées de boulot », sois-en sûre, cet homme t'escroque !

Reprise

ELLE : Tu n'as rien entendu parce que tu mens, parce que ça t'arrange, parce que tu sais que tu peux compter sur moi. Le seul qui fasse ses nuits ici, c'est toi. Et le chien. Et encore le chien, lui au moins il bouge sa queue et son oreille lorsqu'il me voit errer dans le salon à 4 heures du mat tel un zombie.

LUI (*l'air faussement penaud*) : Mais chérie… je te jure que je n'ai rien… Enfin pourquoi tu ne m'as pas réveillé ?

Pause

Chez l'homme (comme chez le dindon), le mâle est très fort pour essayer de culpabiliser la femelle. Il tentera à plusieurs reprises de te signifier que tu aurais dû faire ci ou ça et que si tu l'avais impliqué un peu plus, il t'aurait aidée sans se faire prier.

Reprise

ELLE : Mais je t'ai donné environ cinq coups de genou, j'ai dit haut et fort ton prénom, je t'ai aspergé un peu d'eau sur les tempes, j'ai collé Bébé et sa couche dégueu sous ton nez. Que pouvais-je faire de plus ? Tout ce que j'ai eu en retour : des ronflements. Mais bon, puisque j'avais un créneau de libre entre 4 et 5 heures, je me suis dévouée, hein.

LUI : Ah… si tu le dis.

Note et question pour plus tard : faut-il considérer que quand le papa fait ses nuits, le foyer peut crier victoire ? (Sujet bac de philo, 1976.)

POST IT

Une nuit, enfuis-toi de chez toi
et laisse le mâle seul.

Achète un mégaphone pour
le réveiller la nuit.

LETTRE OUVERTE
AUX GOSSES QUI NE DORMENT PAS
(OU MAL)

Cher enfant,

Ne tenant plus, je prends ma plume et même si tu ne sais pas encore lire (à cinq mois, franchement, tu déconnes. Sais-tu que Mozart avait composé son premier opéra à deux jours ?), ça me soulage.

Tu es né et immédiatement tu as dormi dix heures d'affilée la nuit. J'ai pensé « *Yes we can !* » mais ma joie a été de courte durée.

À deux jours, tu as décidé qu'en fait tu étais un oiseau de nuit, un baby de la night, un briseur de sommeil irritant comme un moustique qui vrombit, et que dormir le jour et brailler la nuit, c'était cool.

Sauf que moi j'ai pas signé pour ça.

Oui je sais, tu vas me dire que quand on fait un enfant, on prend tout le package mais moi, il me semble bien quand je relis le contrat que j'avais coché la case « Accepte de faire ses nuits rapidos et de recevoir des offres partenaires ». J'ai vraisemblablement été flouée et j'hésite à contacter le SAV.

Oui, je t'aime, mais là n'est pas la question. J'aime dormir aussi et je te signale que si je ne dors pas la nuit, je peux devenir très triste. Et tu ne veux pas que maman sois triste ? Hein, tu ne veux pas…

(Note au parent lecteur : ceci est une technique d'intimidation, de culpabilisation digne de la torture mentale instituée en l'an 456 par le roi Dodo.) C'est bien mignon de pleurer, de réclamer à manger, de nous faire croire que tu as mal au ventre ou que le loup est bel et bien planqué sous ton lit mais c'est FINI. Je n'y crois plus et je ne veux plus d'un enfant zombie qui m'a tatoué contre mon gré des cernes permanents. Sais-tu seulement que la nuit peut être *notamment* employée à dormir ?

Je veux t'annoncer par la présente lettre que je ne céderai plus et que j'ai signé un pacte avec le marchand de sable (celui qu'est jamais là quand on le sonne. C'est à se demander s'il existe). Notre deal est le suivant : s'il te fait dormir, je lui fournis du boulot. Et je crois que je n'aurai pas de mal à lui trouver des clients.

Sache, petit crétin de gosse que j'aime, que si tu ne te décides pas à dormir la nuit, plus tard, au moment de ton adolescence, je viendrai te crier dans les oreilles à 5 heures du matin. Oui c'est bas, c'est très bas, mais c'est ainsi que je vois ma vengeance.

Tu peux réfléchir à tout cela (tu as la nuit devant toi, n'est-ce pas ?), en parler à tes conseils, contester, revendiquer, crier, entamer une grève des câlins. M'en fiche.

Je VEUX dormir, bordel !

I WANT to sleep, bowdèle ! (Peut-être comprends-tu mieux l'anglais, va savoir.)

Maman

P.-S. : Pour les réclamations, merci de voir avec Serialfather.

Reste zen si l'enfant dort au bout de cinq minutes
et fait sa nuit pile le soir où tu l'as laissé
à une baby-sitter que tu paies grassement
pour ne pas fermer l'œil de la nuit.

Dors en même temps que ton nouveau-né.
Il déteste ça.

10 IDÉES FARFELUES
POUR L'ENDORMIR

Au bout du rouleau, tu es prête à tout pour l'envoyer au pays du dodo. Comme tu ne peux compter sur personne, c'est seule que tu vas devoir ruser.

✳ Le truc de grand-mère : mets de la lavande dans un petit sachet sous l'oreiller de Junior (pas avant 1 an). Il paraît que ça détend. Tu peux aussi en mettre un sous ton oreiller pour zénifier ta nuit mais prends garde, la lavande éveille les sens des mâles, donc l'un dans l'autre, tu risquerais de passer une nuit blanche.

✳ Le truc de jeune parent désespéré : faire des tours de voiture. Radical. Le problème se situe dans le transport de l'enfant du siège-auto jusqu'à son lit. Au pire, laisse-le dormir toute la nuit seul dans la voiture.

✳ Le truc de geek : enregistre le son de ta voix sur l'ordinateur et diffuse en boucle dans sa chambre des berceuses chantées par toi assorties d'un épouvantail te représentant. Il n'y verra que du feu (ou pas).

✳ Le truc de fou : allonge-toi avec lui dans son lit de 40 cm de largeur et endormez-vous ensemble. Tu peux cependant avoir du mal à te sortir de là au réveil. On raconte qu'un papa a passé treize heures coincé dans un lit parapluie et s'en est tiré avec un lumbago dont il a mis douze ans à se débarrasser.

✳ Le truc de bon parent : achète-lui un lit. Oui, parce que le sol, c'est un peu rude en fait.

✳ Le truc du siècle d'avant (et même d'encore avant) : emmaillote-le, serre-le comme un rôti. Ça rassure, semble-t-il (parole de Marie-Antoinette).

✳ Le truc de la menace : crie fort et menace-le armée d'une brosse à dents. (Oui, je sais, c'est idiot mais sur un malentendu ça peut marcher.)

✳ Le truc du super bon parent : couche-le dans une chambre à 18 °C, lis-lui une histoire, fais-lui un câlin, dis-lui une phrase comme : « Bon, maintenant c'est l'heure des parents, et toi et tous les autres enfants du monde et le soleil et les nuages, vous dormez ! Bonne nuit petit moineau. Je t'aime. »

✳ Le truc de bio addict : verse une goutte d'eau de fleur d'oranger dans son biberon ou un verre d'eau. C'est psychologique, pas très bon, mais ça peut marcher si on ajoute : « C'est une potion magique que seuls les enfants sages ont le droit de boire et ça fait faire un bon gros dodo ! »

✳ Le truc d'Henris Dès : chante en boucle : « Fais dodo, Colas mon p'tit frère, fais dodo t'auras du lolo. » Personne n'a jamais compris qui était Colas (Coca ?) ni ce que le lolo signifiait mais ça peut le faire quand même.

▶ POST IT ◀

Avoir toujours un somnifère à portée de main.

Lui demander de compter les moutons même si l'espèce ovine remet en question cette légende (je le sais, j'ai un pote mouton).

10 FAÇONS AFFREUSES
DE SE FAIRE RÉVEILLER

Non seulement il ne dort pas bien la nuit mais quand enfin, par un heureux hasard, il s'écroule de sommeil, il ose ensuite te réveiller violemment à une heure indue. Cette fois c'est sûr, l'ennemi est parmi nous.

✳ Le coup de la flûte : alors que toi tu dors profondément, l'enfant ramène un orchestre de chambre à 5 h 45 dans ta chambre et souffle dans sa flûte à bec collée à ton oreille à t'en briser les tympans.

Solution : la flûte termine à la poubelle, l'enfant au coin (ou serait-ce le contraire ?).

✳ Les pleurs de bébé à 1 heure, puis à 1 h 22, puis à 3 h 45, puis à 5 h 02, puis à 6 h 04, puis enfin à 7 h 12.

Solution : la sourde oreille.

✳ Le cri strident de Junior : « Mamaaaan, j'ai fait cacaaaa. » Super nouvelle. À 6 h 12 je suis ravie d'être réveillée ainsi.

Solution : le laisser dans sa merde.

✳ L'enfant se tape l'incruste dans TON lit à 3 heures du matin (ou pire, à 23 h 30 alors que tu envisageais une séance de sexe, ou pire encore, il débarque en pleine nuit au beau milieu d'une séance de sexe…).

Solution : la honte et la fermeture à double tour de la porte de ta chambre.

✳ Pour une fois tu roupillais au-delà de 7 heures le samedi car l'enfant avait décidé que dormir, c'était cool, mais ton réveil a sonné à 7 h 15. Oui, car tu avais oublié de désactiver l'option « réveil à 7 h 15 pour aller à l'école ».

Solution : jeter le réveil contre un mur chaque vendredi soir.

✳ Le jouet qui parle. Une variante de la flûte à bec en plus soft. Ou pas. Si le robot ou la poupée se met à répéter inlassablement à 4 h 05 : « Viens jouer avec moi. ABCDEFG. Viens jouer avec moi. ABCDEFGHIJKL. Viens jouer avec moi. ABCDEFGHIJKLMNOP » en boucle, ça peut devenir usant à la longue.

Solution : les jouets à piles, c'est dépassé. Moi, dans mon enfance, je m'amusais avec une orange et un bout de ficelle, aucun risque de bruit perturbateur.

✳ La fausse joie : tu crois que ton serialkid dort car il est couché depuis 20 heures. Soudain, à 23 heures, pile au moment où tu sombres enfin dans le sommeil, tu sens une présence que tu arrives à discerner même dans le noir. Et apparemment il ne s'agit pas du fantôme de ta grand-mère. Tu tournes la tête et te retrouves nez à nez avec l'enfant. Il te regarde dans les yeux et dans la pénombre tu flipperais presque. Il dit juste : « Maman, zai perdu doudou et zarrive pas à dormi depuis toutaleure. »

Solution : lui accrocher son p***n de doudou à son pyjama avec un cadenas.

✳ Le loup dans le placard (ou sous le lit, ou dans le couloir). Va expliquer à tes gosses que non, les loups n'existent pas chez toi, ni dans les alentours d'ailleurs, que c'est une légende, que tout va bien, qu'il faut faire dodo maintenant, que leur maman les aime… « Oui mais dis, maman, au zoo près de la maison y'a des lions… et moi j'ai peur des lions aussi. »

Solution : ne jamais lui parler du zoo.

✳ Le pipi au lit. Une variante du caca du matin sauf que là c'est en pleine nuit que tu dois trouver des draps propres, changer l'enfant, éponger le matelas, t'énerver, renoncer à changer les draps, piquer du nez debout une couverture mouillée qui pue à la main, dire « merde » et faire au bout du compte dormir l'enfant avec toi. Il y a aussi : « Maman, j'ai envie de vom… » Trop tard.

Solution : laisse-le se débrouiller. Il veut son indépendance à 1 an et demi ? Il l'aura !

✳ Un peu plus tard, quand l'enfant s'appellera un ado, il te réveillera à 3 heures du matin car il rentrera de boîte. En fait, c'est sans fin, cette histoire de sommeil...

Solution : lui prendre un studio.

▶ POST IT ◀

Attacher un ruban rouge sur la poignée de ta porte quand tu ne veux pas être dérangée par l'enfant.
Ruban rouge = Do not disturb.

Pour les bébés brailleurs :
leur couper les cordes vocales. Faut ce qu'il faut.

10 TECHNIQUES
POUR DORMIR PLUS LE MATIN

Donc, c'est un fait, tu ne dors plus comme avant. Voici dix techniques pour te souvenir qu'un jour tu as connu l'expression « grasse matinée » (et que tu peux encore y goûter).

✳ Technique de la sourde oreille : mets des bouchons dans tes oreilles et ne te lève pas lorsqu'à 6 h 03 l'enfant crie un « maman » ponctué d'un « viiiiens ».

✳ Technique du mensonge : si ton enfant se réveille à 6 h 29, mens. S'il est encore petit, dis-lui que c'est toujours la nuit (en hiver tu peux y aller, le jour ne se lève que vers 8 h 30). S'il est grand, recule toutes les pendules de la maison de deux heures.

✳ Technique de l'autre : l'enfant se lève ? Tu as un mari, un amant, un ami ? Donne-lui des coups de pied afin que cet « autre » sorte du lit. Pas toi.

✳ Technique de la disparition : va dormir dans le salon. L'enfant ne te trouvera pas (il peut éventuellement paniquer mais bon, quand on veut dormir… on veut dormir).

✳ Technique de dodo ailleurs : le faire dormir chez mamie, papi, tonton… qui tu veux en fait pourvu que toi tu dormes.

✳ Technique du « joue tout seul » : OK, l'enfant a l'air totalement réveillé. Prévoyante, tu as disposé la veille tous ses jouets dans son lit à barreaux afin qu'il joue seul (pendant au moins quatre heures).

✳ Technique du « débrouille-toi » : très bien, Loulou, tu veux absolument te lever à 5 h 23 ? Fine. Va te faire ton biberon, va promener le chien, va aussi acheter les pains au chocolat. Je t'ai laissé 3 euros 25 sur la commode de l'entrée. Garde la monnaie pour la peine.

✳ Technique du co-dodo matinal : prends l'enfant contre toi. Il a les pieds froids. Fais semblant de le réchauffer et rendors-toi.

✳ Technique de la télé : certes c'est pô bien mais là… c'est une question de survie. Place ton enfant devant un bon DVD (ou deux, ou trois). File te recoucher.

✳ Technique du « coucher tard » : couche-le super tard. Ça devrait le faire dormir un peu le lendemain matin. Ou pas.

"ILS ONT DIT..."

« Étrange chose que d'être mère ! Ils ont beau nous faire du mal, nous n'avons pas de haine pour nos enfants. »

Sophocle

« Il y a six lettres dans ENFANT et six aussi dans CHIANT. Hasard ? Je ne crois pas. »

Moi

« Ceux qui disent dormir comme un bébé, en général, n'en ont pas. »

Leo J. Burke

« Le moment où le petit enfant prend conscience du pouvoir de ses pleurs n'est pas différent de celui où il en fait un moyen de pression et de gouvernement. »

Paul Valéry

« Maman, on fait une partie de billes ? »

Serialfiston, 2 h 34 du matin

« Une maman ne dort jamais tout à fait ; elle est liée au sommeil de son enfant. »

Jean Gastaldi

« Un mari ne doit jamais s'endormir le premier ni se réveiller le dernier. »

Balzac

« Tu dis qu'on grandit la nuit et qu'il faut dormir mais toi
t'es vraiment pas grande. »

Serialprincesse

« Ce que tu regardes en riant, que tu prends pour des parachutes,
ce sont mes paupières, mon enfant, c'est dur d'être un adulte.
Allez on joue franc jeu, on met carte sur table, si tu t'endors
je t'achète un portable, un troupeau de poneys, un bâton
de dynamite, j'ajoute un kangourou si tu t'endors tout de suite. »

Bénabar

4

ÊTRE MÈRE ET MAÎTRESSE
À LA FOIS

D'après les magazines, la télévision, les films, il faudrait que je sois non seulement une mère parfaite qui confectionne des cupcakes après une grosse journée de boulot tout en torchant les fesses de mes serialkids mais qu'en plus je mette des porte-jarretelles façon SM (mais pas pour « Serial Mother ») afin d'être une épouse parfaite. Mais de qui se moque-t-on ?

SEXER APRÈS AVOIR ACCOUCHÉ

Quand les femmes n'étaient que des femmes (pas encore des mères), elles avaient envie de sexe souvent, le faisaient n'importe quand, criaient et jouissaient fort, fumaient une cigarette juste après l'amour, prenaient des bains à deux, racontaient leurs exploits à leurs copines, envoyaient des SMS chauds à leurs conjoints et écoutaient Marvin Gaye en pensant « Yeah, Baby... ». Mais ça, c'était avant.

Un jour il y eut une petite graine, puis un gros bidon et déjà faire l'amour devint compliqué. Copuler avec une extension du ventre limite les positions et les prouesses sexuelles. Bien des hommes ont peur de réveiller le bébé, de le toucher (prétentieux), de faire mal à leur partenaire, et alors que la future mère a des envies de jeune première, le futur serialfather ambitionne plutôt de dormir. Prenant son mal en patience, la future mère pense qu'après, une fois Bébé sorti, tout reprendra comme avant. Innocente, va !

Un jour, le serialbaby sort de son trou et le sexe de la femme en prend pour son grade. Passée cette étape douloureuse dont elle finit par se remettre (notamment grâce à une rééducation du périnée – über glamour), elle croise le regard du mâle qui, tel un lion en diète de gazelles, attend son heure pour recroquer du fruit défendu. Tout cela se situe environ six semaines après avoir mis bas (le délai « légal », hein ?).

Mais la jeune mère épuisée, sentant le talc et la crème pour érythèmes fessiers, vaguement coiffée (ou plutôt très décoiffée), n'ayant plus le temps ni de dormir ni de s'épiler, dormant peu ou pas, son baby phone greffé à son poignet, se lavant à peine, puant le vomi, les seins remplis de lait, ne pensant qu'à son enfant, écoutant Marvin Gaye en se disant : « Tiens, une musique qui pourrait endormir Bébé ! », n'a pas très envie.

Dans ces moments-là (qui peuvent durer longtemps), le dialogue avec Serialfather est évidemment primordial. Il doit comprendre que la folle nuit de sexe est partie remise.

(Cher mâle, si tu me lis, montre-toi indulgent et patient. Ta serial-wife l'a amplement mérité.)

> **POST IT**

Ne stresse pas, petite mère,
tu as tout de même un alien de 3 kilos environ
qui est venu déranger tout ça.

La vie sexuelle après,
c'est encore meilleur qu'avant.
Si, si. Patience !

10 FAÇONS DE RATER SA NUIT D'AMOUR

Ce soir, tu as décidé que ce serait « coïtus non interrompusse » et tu as mis toutes les chances de ton côté. Mûre dans ta tête et dans ton cœur pour pousser des cris, les enfants couchés à 19 h 30, le dîner romantique prêt, les quatre bougies senteur « vanille des îles » allumées, le mâle chauffé par des mails coquins toute la journée, la musique d'ambiance en mode « on ». Le début de soirée s'annonce divin : petits regards comme au premier jour, petits jeux de jambes sous la table, petites caresses sur les mains et petite virée dans la chambre. L'excitation est à son comble quand...

* Un enfant (le tien a priori) vient se planter devant vous : « Mais papa, c'est quoi que tu fais, là, tout nu sur maman ? Et pourquoi, maman, tu cries ? késcquispasse ? »

* Un hurlement affreux retentit dans la maison : « Mamaaaan, cauchemar et pipiiii ! »

* Nue, tu pousses un couinement que l'homme prend pour un râle de plaisir. Que nenni, tu viens de te ruiner le dos avec la « Barbie tentacules » de ta serialprincesse qui traînait sous la couette. Allez hop, aux urgences !

* Le téléphone sonne : « Oui, c'est mamie, bon bah le petit a 40 de fièvre, je fais quoi, moi ? Non, parce que tu comprends, à chaque fois que vous me le laissez à dormir, il est malade, alors moi j'ai dit à ton père que j'allais lui filer du Doliprane mais il pense qu'un bain tiède, c'est mieux. Du coup, j'ai regardé sur Internet et j'ai vu que la camomille, c'était assez efficace sur les enfants. Enfin bon, Pujadas, au JT, il a bien dit que l'épidémie de grippe était affreuse cette année alors je suggère un grog... L'alcool n'a jamais tué personne. À mon époque, Mme Frantin,

ma nourrice, mettait du vin dans mon biberon et… Chérie, tu es là ? Tu m'écoutes ? » Deux options : raccrocher et sexer ou te rhabiller et aller chercher le serialkid. Quoi qu'il en soit, tu n'as plus envie, si ?

✸ Le retour de couches. Pile à ce moment-là. C'est ballot.

✸ Tels de jeunes amoureux fougueux, vous vous dirigez vers le lit. Il te pousse avec volupté, te découvre, se met nu, quand au milieu du lit tu découvres tes trois enfants endormis avec un mot écrit par le grand (niveau CP, donc) : « On narivai pa a dormire alore on a fait ékipe et on c'est mi dan votre li. » Allez, à toi le lit parapluie de Junior.

✸ Vous êtes en plein acte quand, à travers la porte, votre enfant de 10 ans chuchote : « Papa, maman, vous pouvez pas faire l'amour en silence, y en a qui essaient de dormir. »

✸ Pour cette soirée coquine, vous aviez bien envie de tester un nouveau joujou sexuel acheté sur Internet. Vent de panique : au moment de l'essayer, l'engin en plastique appelé « godemiché » a disparu. Au bout de quatorze minutes de chasse au trésor, vous le débusquez sous l'oreiller de Junior : « Bah oui, j'ai retrouvé le zizi de papa et je voulais le mettre en sécurité. »

✸ Dans le lit prêt à accueillir l'amour, soudain tu n'as plus envie : « Je suis fatiguée… Je sens que je vais encore me réveiller cinq fois cette nuit à cause des serialkids. Bah quoi ? Pour Beckham, faire l'amour une veille de match, c'est interdit. Moi, c'est pareil, une veille de nuit blanche, c'est fortement déconseillé. »

✸ En pleins ébats, ta maternité reprend le dessus et tu oses un : « C'est gagné ! C'est gagné ! » comme Dora. Serialfather reste stoïque. Cette fois c'est sûr, tu es perdue pour la cause féminine.

Mets-toi en condition : décroche le téléphone, ferme la porte de la chambre à double tour, prends des drogues pour te libérer le cerveau, oublie tout.

Si possible, autorise-toi une nuit sans enfants (donne-les, prête-les, vends-les).

TENDANCE MILF

Qui parle de maman et de sexe doit parler de Milf. Si ta mère a fait Mai 68, tu as dû lire « MLF ». Relis bien car un « I » s'est glissé entre le « M » et le « L » et ce « I » fait TOUTE la différence. En 68, on voulait « libérer » les femmes. En 2012, avec les Milf, on n'a plus aucun doute sur le fait que certaines se sont bien libérées.

Éloigne ta mère soixante-huitarde, éloigne ton mari aussi et approche-toi pour lire ce qui suit. « Milf », c'est l'acronyme de « *Mother I'd Like To Fuck* ». Je traduis pour les non anglophones (mais sache qu'en français, c'est vite vulgaire et moi, la vulgarité, beurk, j'aime pô) : « Mère que j'aimerais baiser ».

Ici, le mot « baiser », au cas où tu ne l'aurais pas compris, candide que tu es, peut être remplacé par « niquer ». Oui, je sais, c'est grossier mais il faut bien que je t'informe pour que tu puisses placer ce terme très à la mode dans les dîners hype. C'est pour ta culture générale.

Je te fais pas de dessin : une Milf, c'est une mère qui fait fantasmer les hommes, voire les jeunes hommes. Attention toutefois à ne pas confondre la Milf et la cougar, hein ? Grosse erreur de débutante ! Une Milf est sexuellement attirante, s'habille de façon « waouh », semble n'avoir jamais eu de bébé dans son ventre, a la poitrine généreuse et la jambe galbée et la bouche glamour.

Tu ne saisis toujours pas ? Une Milf, c'est Madonna, Angelina Jolie, Liz Hurley, Heidi Klum. C'est la maman qui arrive toujours à être über sexy le matin à 8 h 30 quand toi tu es en jogging avec des poches sous les yeux et une haleine de chacal. C'est la maman qui, le jour de l'anniv de son môme de 4 ans, t'ouvre la porte en nuisette à 14 h 30. C'est la maman qui a encore le temps de se mettre du rouge à lèvres carmin quand elle accompagne son gosse à la sortie piscine. C'est la maman qui remet un maillot deux-pièces (voire un trikini) deux jours après avoir accouché et qui est désirable. C'est la maman qui a l'air d'avoir deux ans de moins que la baby-sitter. C'est la maman qui, lorsque tu la regardes, te donnerait presque envie de virer de bord.

Et si tu veux tout savoir, certaines mamans rêvent qu'on les désigne comme telles parce qu'elles ont le sentiment que si elles sont des Milf, elles sont encore bonnes à regarder.

On ne m'a jamais traitée de Milf, tout juste si on m'a traitée de M (*Mother*), alors… Mais moi je dis qu'on n'a pas besoin d'être une « maman qu'on a envie de b*** » pour se sentir désirable. Je dis que je me satisfais d'être une « MILBFW », « *Mother I'd Like To Be Friend With* ». Bon OK, c'est plus long et plus complexe à prononcer mais c'est toi, c'est moi, c'est nous, quoi ! (Attention, chanson de Grégoire en moi.)

Alors Milf ou pas Milf, l'important c'est que nos enfants nous trouvent formidables. (Et George Clooney aussi bien sûr.)

Mets du rouge à lèvres le dimanche matin
à 7 h 30 et une combi sexy. Si Serialfather
te lance : « Mais ma pauvre chérie, tu es ridicule »
et que tes serialkids te balancent : « Maman,
tu es déguisée ? », c'est que tu n'es pas une Milf.

Compte le nombre de Milf autour de toi.
Te voilà rassurée ? C'est bon signe.

J'AI TESTÉ : UNE JOURNÉE DE MAMAN EN TALONS AIGUILLES

Alors il faut donc rester désirable, femelle, sexy, glamour ? Très bien, très bien. Comme j'aime prendre des risques et que je vais sur le terrain, moi, madame (si, si, le parc, c'est le terrain), un jour je me suis lancé un défi : passer une journée en talons aiguilles avec les enfants dans les pieds stilettos.

En règle générale, je ne mets jamais de talons la journée (même pas le soir à vrai dire sauf si c'est le mariage de tata Josette), alors là, ça allait être la double peine.

7 heures

Le réveil sonne comme d'hab. Je m'extirpe lentement du lit, je vais réveiller les deux enfants, je prends une douche, je m'habille. Au moment de me chausser, j'attrape une paire de baskets quand subitement je me souviens du challenge. J'opte alors pour ma paire de talons de 10 cm et hop, je l'enfile !

7 h 55

Dans la cuisine, je prépare le chocolat chaud d'en haut. Sensation de vertige.

8 h 12

Les enfants trouvent que j'ai l'air plus mince que d'habitude (*sic*) et que c'est mieux. Gloups.

8 h 22

On est en retard et il nous faut presser le pas pour être à 8 h 30 à l'école. Sauf que les talons + les deux cartables sur MON dos + la pluie + le retard + la poussette dont les poignées sont plus basses que d'habitude (oui, car je suis donc plus grande) = c'est difficile.

8 h 23

J'enlève les talons et je cours pieds nus sur le macadam.

8 h 34

Ouf, la porte n'était pas encore fermée. Les enfants sont à l'école, je renfile mes talons. Les autres mères me regardent avec étonnement. Je crois même qu'il y en a une qui dit à une autre : « Nan mais c'est dingue ça, elle est mé-con-nais-sable. »

8 h 36

Je sue, j'ai mal aux pieds, mais je me sens grande et belle.

9 h 23

J'arrive au bureau et raconte mon exploit du matin devant une assemblée peu intéressée.

10 h 45

Sous mon bureau, j'ôte les instruments de torture et me fais un self-massage avec une balle de tennis qui traînait là.

12 h 28

Mal aux pieds.

13 h 05

À la cantine, je suis enfin, pour la première fois de ma vie, à la bonne hauteur pour choper la salade de fruits sur laquelle je lorgne depuis cinq ans d'en bas.

15 h 56
Je reprends le métro pour aller chercher les kids à l'école. Mes pieds commencent à fatiguer.

16 h 27
Comme je suis plus grande, ma tête dépasse du groupe des autres mères qui attendent devant la sortie de l'école. Héhé.

16 h 45
OK, on va au parc.

16 h 54
J'ai du sable plein les talons. J'enrage.

17 h 56
Après une heure trente passée sur un banc à ne pas pouvoir bouger, je décide de remettre mes souliers.

18 h 45
On a mis quasi une heure pour faire le trajet que je fais en quatorze minutes habituellement.

19 h 15
Je donne le bain perchée.

20 h 30
Au lit, les petits. Ma fille me sort : « Maman, tu devrais en mettre tous les jours, t'es trop belle avec des grandes chaussures. » Oui mais… non.

20 h 45
Plus JAMAIS je ne remettrai de talons en présence de mes enfants. Et même en leur absence.
La prochaine fois, je teste les chaussons.

*Si vraiment tu veux mettre de la hauteur
dans ta vie, mange plus de soupe.*

*Dis-toi que Suri Cruise à 6 ans porte des talons
toute la journée. Cette gosse est une héroïne
(ou un alien).*

LES MAMANS PEOPLE D'HOLLYWOOD OU D'AILLEURS NE SONT (VRAIMENT) PAS COMME NOUS

Je ne t'apprends rien en te disant que tu n'as aucun point commun marquant avec Victoria Beckham ou Madonna (a priori, hein, je ne te connais pas après tout).

J'ai découvert dans un magazine intellectuel (*People* ou *Oops !* sans doute) un classement des mamans les plus influentes du monde. La palme revient à Beyoncé et à Angelina Jolie ex æquo.

Mais influentes auprès de qui ? Là est la question. Parce que moi, je t'avoue que Beyoncé n'influence en rien mes choix de maman et quant à ceux de mes enfants, mon fils de 7 ans me disait encore hier : « Maman, Angelina me fait peur avec sa grosse bouche et ses tatouages. » (Oui, mon fils lit *Voici* et a de la conversation.)

Attends, j'ai mieux : c'est en fait Jennifer Lopez la femme la plus influente du monde car, je cite un canard américain, « avec ses jumeaux, sa carrière et son divorce, J.Lo est le symbole même des femmes d'aujourd'hui ». Ravalement de salive en moi : Jennifer Lopez, un symbole universel de mère ?

Cher journal américain, permets-moi de rire : ahahahah ! (Oui, j'ai le rire long.) Laisse-moi te démontrer en dix points que les mamans people d'Hollywood ne sont pas vraiment comme nous, les mamans de Paris, de Nice, de Lille ou de Fleury-devant-Douaumont.

✳ Les mamans people d'Hollywood maigrissent lorsqu'elles sont enceintes. Nous grossissons dès le moment où nous envisageons de planter la petite graine.

✳ Les mamans people d'Hollywood privatisent un étage entier dans un hôpital ou une clinique pour accoucher et font signer des accords de confidentialité à l'ensemble du personnel hospitalier pour qu'il ne laisse filtrer aucun gossip. Tandis que nous, c'est le gynéco qui nous met une bonne claque sur la joue pour faire taire nos cris.

✳ Les mamans people d'Hollywood font aménager des chambres de 42 mètres carrés pour leurs bébés. Nous avons opté pour un modeste berceau au pied de notre lit. Bah oui quoi, et pourquoi pas Versailles tant qu'on y est ?

✳ Les mamans people d'Hollywood donnent à leurs rejetons des prénoms comme Morocan Scott (Mariah Carey), Blue Ivy (Beyoncé) ou Suri (Katie Holmes). Chez nous, c'est plutôt Emma ou Jules. Pour le glamour, faudra repasser (en même temps, quand ton gosse fait une bêtise et que tu cries : « Morocan Scooooott, au piquet », ça fait moyen crédible).

✳ Les mamans people d'Hollywood organisent des baby showers avec leurs meilleures copines Eva Longoria ou Natalie Portman. Nous, si déjà on arrive à réunir tata Josette et tata Corine, on est en joie.

✳ Les mamans people d'Hollywood disent : « J'ai vécu un accouchement génial. Je n'ai pas du tout eu mal. Je pourrais recommencer tous les jours. » Nous disons sobrement : « J'en ai chié. »

✳ Les mamans people d'Hollywood se font tatouer les prénoms de leurs enfants sur les bras. Nous, c'est à peine si on arrive à coudre une étiquette dans leurs manteaux.

✳ Les mamans people d'Hollywood reprennent une vie sexuelle « intense » trois jours après avoir accouché. Nous, déjà qu'avant… alors après…

✳ Les mamans people d'Hollywood retrouvent leur ligne dix jours après être sorties de la maternité. Parfois même, elles défilent en dessous pour des marques de lingerie quatre jours seulement après avoir eu leur bébé. Nous, on n'a jamais défilé pour une marque de lingerie. Ni avant ni après.

❋ Les mamans people d'Hollywood osent sortir des phrases comme : « Quand on est entrées chez Prada avec Harper, c'était comme si elle disait : "Maman, je suis à la maison !" » (Copyright Victoria Beckham) Nous, même sans bébé, on n'est jamais rentrées chez Prada.

Alors voilà, il est évident qu'il y a Hollywood, le microcosme des people, et le reste du monde. Et les mamans du reste du monde, c'est-à-dire nous, n'ont rien à envier aux autres, qu'on se le dise.

Moi, je suis la maman la plus influente de mon appartement et ça me suffit amplement !

▶ POST IT ◀

Découpe dans un journal pipeule les têtes de ces supermamans non maquillées et colle-les sur ton frigo. Rira bien qui rira la dernière.

Prends un air hautain et désagréable comme Victoria Beckham à raison de trois fois par semaine. Ça fait du bien. Si, si.

Demande-toi si elles ont déjà goûté la ratatouille de ta cousine Berthe. Non. Alors, tu vois bien qu'elles n'y connaissent rien au bonheur !

Crée un compte Twitter à ton bébé.

10 FAÇONS DE REBOOSTER
TA VIE SEXUELLE DE JEUNE MÈRE

Rien n'est irrémédiable. Tu es naze, tu as la mine fatiguée, ton job te plombe, tu te disputes l'oreiller avec ton mari, vous regardez *Loft Story*, saison 45 en boucle chaque soir en jogging devant une pizza. Mais il y a des solutions pour relancer ta libido !

❋ Organise-toi une soirée filles une fois par semaine. Serialfather s'occupera des marmots. Toi, tu papoteras façon *Sex and the City* avec tes copines mamans/célibataires/divorcées. Vous pourrez même parler sexe.

❋ Inscris ton fils au cours de tennis rien que parce que le prof est sexy.

❋ Lis un bon livre érotique (littérature porno pour desperate mothers) juste avant le coucher.

❋ Découvre que le jouet en forme de canard du bain des serialkids peut avoir un autre usage (OK, c'est trash…).

❋ Envisage le 5 à 7 comme autre chose que comme la pause pain au chocolat-sortie d'école.

❋ Remets-toi (ou mets-toi) à écrire des sextos (textos sexuels) à ton homme.

❋ Disputez-vous à propos de n'importe quoi (les enfants ou la belle-mère étant de chouettes sujets de discorde). Réconciliez-vous et fêtez ça dignement.

❋ Parfois, à la sortie de l'école à 16 h 30, il y a des papas pas dégueu. À étudier de plus près.

※ Pars loin en vacances avec Serialfather. Sans Serialkid évidemment.

※ Joue à la maîtresse avec Serialfather. Tu as de la matière maintenant que tu as des enfants scolarisés, non ?

▶ **POST IT** ◀

Le sexe, c'est comme le vélo, ça se pratique.

N'oublie pas que le serialbébé ne doit pas être le seul à toucher tes seins.

"ILS ONT DIT..."

« L'amour maternel est beaucoup plus profond que l'amour sexuel. »

Alexis Carrel

« Maman, sors la culotte de tes fesses ! »

Serialfiston, 2 ans (en parlant d'un string)

« Notre secret avec Angelina, c'est de rire. »

(Bah voyons…) Brad Pitt

« Ma femme est très portée sur le sexe ; malheureusement, ce n'est pas sur le mien. »

Pierre Desproges

« Le spermatozoïde est le bandit à l'état pur. »

Cioran

« L'acte qui consiste à sucer le sein maternel devient le point de départ de toute la vie sexuelle. »

Freud

« Maman, t'es juste une maman ou aussi une dame ? »

Serialprincesse

LES AVIS DES AUTRES

« Tu devrais faire comme ci, comme ça, l'allaiter, lui donner des carottes et des laitages, le couvrir mais pas trop, lui apprendre la politesse… »

Quand tu deviens mère, tu signes aussi pour recevoir les avis des autres, t'offrant en pâture à leur jugement. Et ça, c'est sans doute le pire.

LETTRE OUVERTE
AUX TOUCHEURS DE VENTRE

Chers gens à la main baladeuse sur les ventres
remplis d'un enfant,

Lorsque j'étais enceinte, j'ai souffert, entre autres maux, des toucheurs de ventre. Je m'explique : dès que le ventre se met à pointer, une horde de personnes (souvent des inconnus, sinon c'est moins bizarre et donc moins drôle) sortent leurs grosses mains grasses et, sans prévenir personne, foncent sur l'innocente victime afin de poser leurs dix doigts sur ledit ventre. La victime apeurée ne comprend pas tout de suite ce qui se passe et, compte tenu de sa difficulté à se mouvoir, elle ne peut guère prendre ses pieds à son cou. C'est à peine si elle est en mesure de lever les yeux au ciel tant elle est embarrassée par son excroissance !

Les toucheurs de ventre prennent un malin plaisir à caresser l'abdomen de leurs proies et à susurrer dans l'oreille de celles-ci : « Rhoooo, bah là c'est sûr, c'est une fille. J'm'y connais, j'en ai eu quatre » avant d'ajouter : « Profitez de chaque moment et surtout dormez maintenant, après c'est foutu. »

Attendu que la martyre sort de son échographie et a vu de ses propres yeux la zigounette de Junior (synonyme : « la fierté de son père »), elle ne peut que sourire intérieurement.

Souvent, la future maman ne pige pas ce qui s'est passé car elle n'a pas été prévenue que toutes les conventions sociales tombaient quand une femme enceinte était dans les parages. Personne ne lui avait dit qu'une dame avec un bébé dans le ventre devenait un objet de convoitise, de folie et d'excitation. Quelques minutes plus tard, elle réalise cependant qu'elle est devenue une femme-objet et qu'avoir un serialbébé là-dedans signifie « journée portes ouvertes ».

La femme enceinte en a MARRE ! C'est à peine si son mari/amant/inséminateur la touche, alors un(e) inconnu(e)... BEURK ! Femme enceinte, rebelle-toi, et si on te touche, touche à ton tour ! (Ou mieux, mets-lui une bonne raclée.)

Et toi, sale agresseur, touche-toi toi-même et sois mignon, arrête d'effrayer la future maman en la traitant de « courageuse » ! Que veux-tu qu'elle pense et fasse maintenant que le squatteur a pris place en elle ?

P.-S. : et puis ne joue pas non plus les devins quant au sexe du bébé. Le ventre en pointe, en rond, en carré, la pleine lune, le masque de grossesse, la beauté de la maman happée par la fille qui est en elle. Que des conneries.

POST IT

N'hésite pas à te faire faire un tee-shirt avec écrit dessus « Pas touche-Propriété privée-Chien méchant ».

Lorsqu'on te demande si tu es enceinte alors que de toute évidence c'est le cas, réponds juste que tu as une maladie grave. Ça calme direct.

LETTRE OUVERTE AUX INCONNUS
QUI CROIENT QU'IL FAUT CARESSER
LES CHEVEUX DES ENFANTS DES AUTRES

Donc, ça débute quand on est enceinte, je te l'ai déjà dit, mais ça continue quand le bébé est né. Quoi ? La main baladeuse d'inconnus qui touchent tes gosses sans permission.

Tout démarre souvent à la caisse d'un supermarché ou au guichet de la poste : un inconnu (la plupart du temps une femme) voit une poussette avec dedans un bébé. En l'occurrence, le TIEN.

Et là, sans que rien ne laisse présager ce qu'il va se passer, une extension du bras s'opère (« go go gadgeto-main »), et au bout cinq doigts viennent caresser la tête de TON bébé.

Comme dans une scène au ralenti, tu tournes la tête, lève le poing et prévois de dire : « Nan mais ça va pas, je vous touche pas, moi, donc vous touchez pas MON bébé. » Mais comme dans un film où le héros n'en serait pas un, tu baisses ton poing, esquisse un sourire gêné (un de ces sourires coincés où l'on ne montre pas ses dents) et tu te tais. L'inconnu(e) te dit : « Il est mignon, c'est le vôtre ? » Bah non, crétine, je l'ai emprunté chez Surcouf et puis comme ça muscle les bras de pousser un landau, bah… je pousse. Voilà ce que tu penses.

Lâche, tu réponds pourtant : « Oui, c'est le mien. Merci du compliment ! » Sourire coincé où on ne voit pas les dents *bis*.

Et là, l'inconnu(e) s'emballe, croit qu'il y a écrit « Caressez-moi » sur la tête de Junior et se met à titiller le petit crâne (celui qu'il ne

faut SURTOUT pas toucher trop, a dit votre pédiatre) comme si il/elle brossait un chihuahua. Une seule solution : la fuite.
Mais la parade ne fait pas long feu.

Bébé grandit, la même inconnue (c'est une femme, c'est devenu une certitude) te retrouve à la caisse du Monop et, devant la chevelure imposante de ton mini-toi, elle sort ses doigts (elle en a dix en plus !). Comme dans une pub L'Oréal, elle déclare : « Han, mais cette tignasse qu'elle a ! Quelle chance ! » et plonge la main dans les cheveux de Junior. Comme une hystérique. Sauf que Junior est un garçon et que tu lui laisses le cheveu long pour cause de grève du coiffeur. Ce coup-ci Junior a le répondant que sa couarde de mère n'a pas : « Mais madame, pourquoi tu me touches ? »
L'inconnue devrait décamper et s'excuser. Que nenni ! Elle fait un grand sourire (de ceux où on voit bien les dents, hein ?) et balance : « Rhoooo, elles ont pas leur langue dans leur poche, les petites filles de nos jours. Moi à mon époque… » Là, courageuse telle Hello Kitty lorsqu'elle se fait épiler la moustache, tu plonges à ton tour ta main dans ses cheveux à elle et déclares (avec l'air fier, les dents et toussa) : « Mais ton époque, je m'en fous et pour info… toi aussi tu as le poil soyeux ! » et tu tournes les talons espadrilles plutôt satisfaite de ta vanne pourrie de Mère (pas) Courage.

Cesse d'être polie. On ne touche pas les inconnus. Principe de base.

Prétends que ton enfant a des poux juste au moment où la main de l'inconnue vient se perdre dans sa tignasse.

PÉTITION
CONTRE LES GENS QUI DISENT :
« Y A RIEN QUI RESSEMBLE PLUS
À UN NOUVEAU-NÉ
QU'UN AUTRE NOUVEAU-NÉ. »

Lorsque tu accouches, une foule de personnes non conviées à venir te rendre visite débarquent dans ta chambre d'hôpital de 4 mètres carrés.

Passés les : « Oh, mais tu as l'air fatiguée » (bah oui, connasse, je viens de sortir un enfant de mon ventre pendant quinze heures), « Je ne peux pas résister à la tentation, je le prends ! » (bah non, connasse, c'est mon enfant et là, il dort, tu vois) ou « Ah ouais, quand même, en fait maintenant que tu n'es plus enceinte, en effet on voit que tu as pris du cul » (bah ouais, connasse, j'ai grossi mais ça valait le coup, non ?), la personne s'intéresse de près au faciès de Junior. Elle le scrute sous toutes les coutures, semble réfléchir, te lance un regard puis sourit. Et là, d'un air très détendu, elle te balance : « Oui bah de toute façon, y a rien qui ressemble plus à un nouveau-né qu'un autre nouveau-né. »

Tu noteras l'utilisation du mot « rien » pour parler du bébé.

Alors toi, désemparée, tu ripostes : « Mais si enfin, n'importe quoi ! Chaque bébé est différent. Y en a des gros, des chauves, des minces, des chevelus, des dodus, des fins, des avec un gros nez, des noirs, des blancs, des qui pleurent, des qui sourient déjà, des que tu as envie de câliner, des qui ressemblent à leur maman, des qui sont le sosie de leur papa. » Et tu ajoutes, courroucée : « On ne parle pas d'un balai-brosse ! Rien ne ressemble plus à un balai-brosse qu'un autre balai-brosse on est d'accord. Mais un bébé ! Enfin quoi, merde, bordel ! » (Ne vois rien de perso contre les balais-brosses.) Là, l'autre te regarde, l'air de penser : « Nan mais elle a le baby blues, c'est clair. »

Il n'y a rien de plus rageant que de trouver franchement (et d'oser le dire) que tous les bébés sont les mêmes.

Alors, si toi aussi tu te dis comme moi, rejoins le mouvement « Un nouveau-né ne ressemble à personne d'autre ». Nan mais quoi, oh !

> **POST IT**

Aie toujours un pistolet à eau à portée de main
dans le berceau de bébé
afin d'arroser les connasses
qui ne trouvent pas
qu'il est le plus beau du monde.

Ose ! Lâche-toi ! C'est l'occasion !
Agresse verbalement ton agresseur :
« Et toi, à plus de 35 ans,
tu ne ressembles à rien non plus, d'abord. »

Mets un panneau sur ta porte à l'hôpital :
« Interdit aux cons ».

LES GENS QUI N'AIMENT PAS LES PRÉNOMS DE TES ENFANTS (ET QUI TE LE DISENT)

Il y a, dès la naissance, des petites phrases assassines au sujet des prénoms donnés aux serialbébés : « Mais le prénom quand même... Enfin, c'est pas que j'aime pas, hein... Mais c'est juste, comment dire, particulier. »

Toi, la jeune mère, tu as juste envie de profiter tranquillement, d'accueillir cet enfant dans la zénitude, de devenir maman, et vlan ! tu te prends des critiques sur un prénom que Serialfather et toi vous avez choisi avec amour.

Moi, une semaine après avoir accouché, une personne m'a carrément demandé si je n'avais pas changé d'avis !

En la matière, les proches sont les plus mesquins, il faut s'en méfier. Il n'est pas rare d'entendre une mère ou une belle-mère balancer :

« OK, mais tu veux que je l'appelle comment en vrai ? »

« Mais c'est un prénom de fille ou de garçon ? »

« Nan, sérieux, c'est une blague ? De toute façon, la mairie n'acceptera jamais ! »

« ... »

« C'est sympa jusqu'à 4 ans mais vois plus loin... À l'âge adulte, ce sera ridicule. »

« Ah ouais, comme le serial killer qui a assassiné les 456 gosses dans cette tuerie aux États-Unis ? »

« Mais ça, c'est plutôt un nom de chien ou de poisson rouge, non ? »

« C'est pas un peu vieillot ? »

« OK, bon, c'est le diminutif, ça ! Mais le vrai prénom, c'est quoi ? »

« On ne peut pas dire qu'il parte avantagé dans la vie ! »

« Et pourquoi pas "table" ou "chaise" tant qu'on y est ?! »

« Oui, mais c'est imprononçable en anglais. Pense à sa carrière ! »

« Le pauvre, comment fera-t-il pour écrire son prénom ? »

Les gens sont parfois d'une délicatesse… !

> **POST IT** ◄

N'écoute pas les autres. Ils sont jaloux.

Autre option : ne pas le révéler. Jamais.

ET ALORS,
C'EST POUR QUAND (LE PROCHAIN) ?

Quand tu te maries, six mois plus tard si tu n'es pas enceinte, des gens très fins te demandent : « Aloooors, c'est pour quand, le bébé ? T'es toujours pas en cloque ? » Bah non, comme tu le constates, je ne suis pas enceinte mais j'ai peut-être pas envie d'avoir un enfant tout de suite ou peut-être que j'ai du mal à en avoir un, et puis d'abord, est-ce que c'est ton problème ? Quand je serai enceinte, tu seras informée, pas la première informée bien sûr, mais tu seras mise au courant, t'inquiète pas.

Un jour, tu es enceinte, tu accouches et à peine Bébé dehors, on te sollicite afin de savoir quand tu vas remettre ça. Tu oses un : « Mais en fait, quand vous parlez de "ça", vous parlez de baiser ou de faire un enfant ? » Ton interlocuteur est choqué et balbutie un : « Mais je parle d'un enfant, enfin… »

Donc, si tu es en couple et en âge de procréer, sache que le monde entier ne manquera pas de te poser des questions sur tes envies et ta capacité à faire des enfants. Quand tu n'en as pas, on te demande pourquoi. Quand tu en as un, on te dit qu'un enfant unique, c'est pas bien. Quand tu en as deux, on te suggère d'en faire un troisième – « jamais deux sans trois ». Quand tu as trois, on te murmure : « Allez, un petit dernier pour la route ! »

Moi, dans ce cas-là, j'aimerais répondre qu'on ne parle pas d'un verre de vin mais que dès que l'envie de faire l'amour en vue de concevoir un bébé me prendra, je filmerai tout ça, et j'en ferai une sex-tape à faire pâlir de jalousie Paris Hilton. Mais comme je suis polie (et lâche), je souris et je dis : « Oh bah, on verra ! »

P.-S. : n'oublie pas que ces mêmes ragoteurs seront les premiers à te conspuer si tu as la bonne idée de faire deux enfants à moins de douze mois d'écart. Jamais contents.

POST IT

Ose répondre : « Non mais les deux premiers étaient une erreur. D'ailleurs, je les vends. »

Les allocs et la carte SNCF, c'est trois gosses. Mais les versements de la CAF, c'est dès le premier. Faites vos jeux !

20 IDÉES REÇUES
(QUI ME SAOULENT) SUR LES ENFANTS

Quand tu es mère (ou père), on te balance plein de conseils foireux, plein d'idées reçues incongrues, plein de suggestions bizarres. Petit florilège.

✳ Si tu manges piquant pendant ta grossesse, ton bébé ne fera jamais ses nuits.

✳ Si tu lui donnes la tétine, t'es foutu(e). FOUTU(E).

✳ Si tu commences à lui donner des bonbons, c'est un obèse que tu feras. Voire un monstre.

✳ Si tu sors le soir en le laissant à une baby-sitter, il ne s'en remettra JAMAIS.

✳ Si tu lui donnes l'habitude d'avoir un doudou, il ne coupera jamais le cordon avec sa mère. Et tu en feras alors un Tanguy.

✳ Si tu ne l'allaites pas, t'es une super mauvaise mère.

✳ Si tu l'allaites, tu te mets en situation d'oubli par rapport à ta féminité. T'es une mauvaise femme.

✳ Si tu le laisses pleurer la nuit, ça lui « fera les poumons ».

✳ Si tu le fais dormir une fois, ne serait-ce qu'une seule avec toi, t'es fichu(e). Quand le co-dodo s'installe, les parents sont foutus.

✳ Si tu le laisses dormir plus de deux heures dans la journée, il ne dormira plus la nuit. C'est connu.

✳ Si tu as un autre enfant tout de suite après, il sera jaloux, c'est sûr.

✳ Si tu attends trop avant d'avoir un autre enfant, il sera jaloux, c'est sûr.

✳ Si tu lui donnes un biberon de lait à température ambiante, tu vas lui provoquer des problèmes gastriques à VIE.

✳ Si tu lui donnes à boire du lait la nuit, il sera bourré de cholestérol jusqu'à ses 88 ans.

✳ Si tu le fais marcher à quatre pattes, il aura des vrais problèmes d'articulations.

✳ Si tu ne lui donnes pas de tétine et qu'il suce son pouce, les appareils orthodontiques ne seront pas remboursés par la Sécu.

✳ Si tu le portes trop souvent dans tes bras ou en écharpe, il sera dépendant. Mais si tu le laisses dans la poussette, il sera dépressif.

✳ S'il a mal quand ses dents sortent, il faut frotter ses gencives avec un carré de sucre.

✳ S'il ne sait pas lire à quatre ans, il pointera au chômage plus tard.

✳ Si tu le couves trop, tu vas en faire une mauviette.

► POST IT ◄

Fais ce qui TE plaît avec TES enfants.

Laisse parler les gens. Ils s'assécheront la bouche.

LES MÈRES QUE J'AI ENVIE DE BUTER

Un matin, à l'école, une maman m'a demandé ce que mon fils avait fait pendant les vacances. Je lui ai répondu : « Une semaine avec nous et une semaine en colo. »

Elle m'a regardée avec ce regard de méchante-sorcière-trop-moche-qui-pue (comme dirait Serialprincesse) et m'a juste dit : « Mais il est trop spé, ton fils. » « Spé », en langage de méchante-sorcière-trop-moche-qui-pue, ça veut dire « spécial », « bizarre ». J'avais envie de sortir mon gourdin pour l'assommer devant l'école à 8 h 20.

Il y a dans ma vie de jeune maman d'autres mamans que j'ai eu envie de frapper : celle qui t'explique comment allaiter ton bébé alors qu'elle n'a jamais pratiqué la chose, celle qui te dit que ses enfants à elle sont les plus merveilleux du monde « objectivement » (alors que toi, tu sais que ce sont les tiens, tout aussi objectivement), celle qui te dit l'air outré : « Comment, mais quoi ? Tu donnes du chocolat à ton bébé de 8 mois ? C'est grave, tu sais ? Il peut mourir ! », celle qui te donne des conseils d'éducation, celle qui estime que la télé, c'est pour les enfants débiles car les siens lisaient Kant à 6 mois, celle qui trouve que tu fais tout mal, celle qui te reproche de prendre une baby-sitter alors que tu peux rester à la maison, celle qui trouve que donner un bout de pain avant le dîner, c'est en faire de futurs obèses, celle qui te juge car tu as eu recours à la péridurale alors qu'elle a accouché dans la souffrance par choix, celle qui trouve ça dingue de faire des nouilles deux fois par semaine car elle,

elle mange bio, celle qui crie au scandale quand tu admets que tu as envie de souffler un peu et que les enfants, c'est parfois fatigant. Bref, à toutes ces mères et à celle du matin, je dis MERDE !

Et à toutes les centenaires qui font des remarques de vieilles biquettes, à toutes les jeunes femmes pas encore mamans qui ont des principes d'éducation prêts à l'emploi à te fournir, à ton pédiatre qui répond toujours à côté de la plaque, à ta propre mère qui te suggère que tu es une piètre maman, à la boulangère qui répète que les enfants de Mme Michu sont « tellement » polis (et les tiens alors ?), à la maîtresse qui a accusé ton gosse (à tort évidemment) d'être chahuteur, au prof de judo qui ne veut pas lui filer la ceinture orange car il est soit disant « fragile », à la nounou qui apprend à ta fille à l'appeler « maman », à la mère parfaite qui fait toujours des gâteaux à la kermesse de l'école et a acheté toutes les fournitures scolaires au mois de juillet… je redis MERDE (et vive les colos) !

POST IT

Aie toujours une batte de base-ball sur toi.

Rappelle-toi que de toutes les mamans du monde, c'est TOI la meilleure.

MARRE DES PERSONNES QUI CRITIQUENT LES FEMMES AU FOYER (FAF)

Je ne suis pas mère au foyer. Je l'ai été un temps. Et j'ai connu cet affreux malaise qui montait dans ma gorge quand, dans les dîners mondains, on me demandait : « Et toi, tu fais quoi ? – Bah moi, je fais quoi ? Bah moi, je m'occupe de mes enfants. » Ton interlocuteur te lance alors un regard qui oscille entre pitié et moquerie. Il ne dit rien et se tourne vers son autre voisin en lui demandant : « Et toi, tu fais quoi ? » (Au passage, il te tourne le dos pour exprimer tacitement son opinion, car évidemment tu n'existes plus à ses yeux.)

Comme si la Femme au foyer (FAF) ne valait pas la peine qu'on lui parle, comme si les neurones de la serialmother avaient disparus quand elle a pris la ô combien difficile décision de tout lâcher pour faire des purées, aller à la sortie de l'école, changer elle-même les couches de son bébé, donner le bain, jouer, s'amuser, se fâcher après la quatrième compote renversée sur le parquet propre, éveiller son serialkid à temps complet, faire les courses, aller à la Sécu, prendre rendez-vous avec le pédiatre, s'assurer que le serialfather aura à manger le soir, promener le chien, faire le taxi entre le judo de n° 1 et la poterie de n° 2, sourire, être aimable, avoir le temps de rester féminine (alors que l'appel du jogging est fort), encaisser les caprices, penser à varier la nourriture de Bébé…

Non, non, la femme au foyer n'est pas un monstre, on peut lui parler, et même l'applaudir, la hisser tout en haut, car c'est elle la véritable héroïne ! Elle gère tout, et doit en plus accepter le regard des autres (les travailleurs) et se prendre une fois par jour une remarque du style : « Oui enfin bon, toi t'as le temps » ou pire : « Nan mais tu ne peux pas comprendre parce que toi, tu bosses pas. »

Un peu d'admiration et d'indulgence seraient donc les bienvenues pour ces FAF qui donnent tout pour élever leurs serialkids avec amour, patience et passion.

POST IT

Tes choix sont les meilleurs puisque ce sont les tiens.

L'essentiel est dans Lactel.

"ILS ONT DIT..."

« L'avenir d'un enfant est l'œuvre de sa mère. »

Napoléon Bonaparte

« Une chemise de toile cousue par sa mère est chaude,
une chemise de laine cousue par une étrangère est froide. »

Proverbe finnois

« Ignorance est mère de tous les maux. »

Rabelais

« Il est parfois difficile de savoir qui, dans une famille,
commande : le mari, la femme, la belle-mère ou la cuisinière. Mais
le chien de la maison, lui, ne se trompe jamais. »

Marcel Pagnol

« Les avis des autres sur mes gosses, je m'en fiche ! »

Moi

« Celles qui sont la franchise même ne disent que la moitié
de ce qu'elles pensent ou bien elles en disent le double. »

Sacha Guitry

« Maman, je ne voudrais pas une autre maman que toi.
Tu es la meilleure des mamans. »

Les Serialkids

« Il est parfaitement monstrueux de s'apercevoir que les gens disent dans notre dos des choses qui sont absolument et entièrement vraies. »

Oscar Wilde

MAUVAISE MÈRE ?

Devenir maman, c'est se poser des tonnes de questions, hésiter, se dire « oui, je le fais » puis « non, je n'ose pas », puis à nouveau « si, j'y vais ». Voici une liste (non exhaustive) de confessions inavouables de mamans. Si tu t'y retrouves, c'est que tu es une très mauvaise mère. Ne pleure pas, relève la tête, sèche tes larmes : nous sommes toutes dans la même situation !

Il n'y a aucune recette pour devenir une mère parfaite, mais il y a mille et une façons d'être une bonne mère. Ou une mauvaise.

✳ Enceinte, j'ai déjà mangé du fromage non pasteurisé parce que, enfin quoi, il me faisait de l'œil, ce camembert coulant !

✳ À neuf mois de grossesse, j'ai porté des talons de 15 cm pour avoir l'air plus mince.

✳ Quand j'ai accouché, j'ai eu si mal que j'aurais voulu appuyer sur un bouton « efface tout et reviens en arrière ».

✳ Par paresse, j'ai déjà laissé mon bébé dans sa merde.

✳ Pour voir, juste pour voir, j'ai donné du Nutella à mon enfant de 6 mois.

✳ Plusieurs nuits, j'ai fait la sourde oreille et l'ai laissé pleurer.

✳ Quand mes enfants sont malades et se plaignent, il m'arrive de ne pas les croire.

✳ Oui, je donne des petits pots fabriqués en usine.

✳ J'ai déjà piqué 5 euros dans la tirelire de mon fils, j'avais besoin de monnaie.

✳ J'adore jouer avec la PlayStation réservée aux gosses.

✳ Je me suis trompée, j'ai acheté du lait de chèvre au lieu du lait de vache et j'ai soutenu à mes enfants que parfois, les vaches tournaient mal.

✳ Je leur mens régulièrement.

✳ Je jalouse leur peau douce, parfaite et non ridée.

✳ Je m'enferme aux toilettes pour avoir trois minutes de tranquillité sans un enfant accroché à ma jambe.

✳ Ça m'arrive d'être heureuse de bosser pour ne pas me taper la corvée du bain.

✳ Je hais les copains de mes gosses. Particulièrement une petite peste.

✳ J'ai déjà oublié d'acheter les fournitures de la rentrée.

✳ J'adore prendre une baby-sitter pour aller au restaurant en couple ou entre copines.

✳ Je dis souvent : « Tu me saoules » à mes enfants.

✳ Je compte jusqu'à trois d'un air menaçant alors que moi-même je n'ai aucune idée de ce qui se passera une fois arrivée à trois.

✳ Je bénis les clubs de vacances qui prennent en charge les enfants toute la journée.

✳ J'ai déjà mangé l'intégralité du goûter de mes enfants en les attendant devant l'école.

✳ Les surgelés... vive les surgelés !

✳ Je n'ai jamais mis de chaussons de danse dans le sac de danse de ma fille. En cours, elle est la seule pieds nus.

✳ Il restait une seule chouquette, je l'ai mangée sans regret.

✳ Je les sensibilise à l'écologie et au tri sélectif. Mais je ne le fais pas.

✳ Je les plante devant la télé pour dormir plus tard le week-end.

✳ J'ai mis une annonce pour les vendre sur eBay.

✳ Quand j'ai envie de regarder un film à la télévision, c'est mon choix qui passe avant celui des enfants.

✳ Pour boire un bon apéro à 19 h 30, je mens sur l'heure qu'il est et les envoie au lit : « Mais si, si, il est 21 heures. »

✳ Je ne sais jamais combien ils mesurent ni combien ils pèsent.

✳ J'ai déjà trouvé qu'ils avaient une tête bizarre et que, sous certains angles, ils n'étaient pas si beaux que ça.

✹ Je finis leur dîner chaque soir puis je redîne avec mon mari et je grossis en prétendant ne pas savoir pourquoi.

✹ Si leur dessin est moche, je le leur dis.

✹ Je ne sais absolument pas si leurs vaccins sont à jour.

✹ Franchement, la chorale de fin d'année était une réunion de gamins qui chantaient mal.

✹ J'ai déjà déposé mes enfants à la garderie alors que je ne travaillais pas ce jour-là.

✹ Je ne connais pas les prénoms de leurs maîtresses.

✹ J'ai déjà autorisé un de mes enfants à faire pipi dans le bain.

✹ Je les force à manger des épinards au nom des vitamines et du fer qu'ils contiennent tandis que je m'avale une pizza en douce planquée derrière la porte du frigo.

✹ Il n'y a plus beaucoup d'eau chaude et j'ai envie de prendre un bain. Tant pis, ils se laveront demain. À moi le bain !

✹ J'adore faire du shopping pour moi, rien que pour moi. Je déteste faire les courses avec mes enfants.

✹ Je leur dis que mon téléphone n'a plus de batterie pour les empêcher de jouer avec.

✹ Si mon enfant a le pied dans le plâtre et ne peut pas se baigner alors que moi j'ai envie de me rafraîchir dans la mer, j'y cours sans scrupules.

✹ Je ne demande jamais à mes serialkids ce qu'ils ont mangé à la cantine.

✹ Je n'ai jamais d'idée de quoi leur faire à dîner le soir. Vive les pâtes.

✹ Je les force à faire du sport alors que je ne suis pas le moins du monde sportive.

✹ En voiture, je mets MA musique à fond même s'ils n'aiment pas.

✹ Lorsqu'ils me demandent si je vois ce nuage en forme de lion, je dis « oui » alors que pas du tout.

✹ Je leur fais croire que les salsifis sont issus du cacaoyer.

✳ J'ai fait semblant de ne pas avoir reçu le mail de l'association des mères de l'école parce que ça me saoulait d'aller à la réunion.

✳ Je me suis moquée d'eux plus d'une fois.

✳ Je me suis déjà dit que je n'aimais pas leurs prénoms, en fait.

✳ J'ai soutenu que mes gosses avaient brisé un vase de la belle-famille en le faisant tomber alors que c'est moi qui, six mois avant, l'avait cassé puis recollé l'air de rien.

✳ Je me cache de mes enfants pour fumer une cigarette.

✳ J'ai fait semblant d'avoir préparé le cake au chocolat toute seule pour la fête de l'école alors que je l'ai acheté à la boulangerie.

✳ J'ai jeté le doudou qui puait trop.

✳ Parfois, je lance : « Si tu te mets les doigts dans le nez, tu finiras avec trois narines. »

✳ J'ai adoré allaiter et j'ai surtout adoré arrêter.

✳ Il m'est déjà arrivé de me pointer avec trente minutes de retard à l'école.

✳ J'ai oublié trois fois de suite de faire passer la Petite Souris.

✳ J'ai avoué que le père Noël n'existait pas.

✳ Je dois admettre que leurs pieds sont affreusement laids.

✳ Je n'aime pas jouer avec eux à la dînette ou aux jeux de société. Ça n'en finit jamais.

✳ J'ai déjà dit des tonnes de gros mots devant eux.

✳ Je leur fais croire qu'un ogre va venir les dévorer s'ils ne rangent pas leur chambre.

✳ J'ai déjà crié très fort après mes enfants et eu envie de les taper (sans le faire, hein).

✳ Vive les lecteurs DVD portables dans le train et en voiture.

✳ J'ai déjà lu leurs journaux intimes.

✳ J'aime le lundi car il y a école pour cinq jours !

❋ Je ne garde pas tous les dessins de mes enfants, je les jette régulièrement et fais semblant de ne pas savoir où ils sont quand ils me les réclament.

❋ Je n'ai jamais assisté à la moindre réunion scolaire.

❋ Je leurs mets parfois des vêtements trop petits pour les rentabiliser au maximum.

❋ J'ai ressorti des photos d'eux bébés. Qu'ils étaient vilains !

❋ Je leur dis souvent que la police va venir les arrêter s'ils ne sont pas sages.

❋ J'ai déjà pensé : « P***n, je serais mieux sans gosses. »

❋ J'ai oublié un jour de les accompagner à l'anniversaire de leur meilleur pote.

❋ J'ai déjà emmené mes gosses au McDo deux fois dans la même semaine.

❋ Je déteste lire des histoires le soir ou chanter des berceuses.

❋ Je me promène chez moi avec mon iPod sur les oreilles pour ne pas les entendre se chamailler.

❋ J'ai déjà remplacé le Nesquik par de la Ricoré.

❋ Je leur ai déjà fait goûter du champagne.

❋ Le week-end, je les couche tard.

❋ J'ai déjà prétendu être la baby-sitter pour revivre un instant de jeunesse.

❋ J'ai déjà dit : « Ah non, je suis désolée, il n'y en a plus » en parlant du Nutella et je l'ai mangé dans mon lit sous ma couette en solitaire.

❋ J'ai déjà chipé leur bonnet car j'avais froid. Et pas eux. A priori.

❋ Je les ai déjà laissés dire un gros mot sans relever.

❋ Je leur donne rarement cinq fruits et légumes par jour.

❋ J'adore répéter que les arbres à nouilles existent en Italie.

❋ Je leur fais croire que j'ai des pouvoirs magiques.

✳ Si je leur lis une histoire, je saute une phrase sur deux. Mais quand ils apprennent à lire, c'est foutu.

✳ Je n'accepte pas qu'ils sachent des choses que j'ignore. Je le prends mal. Très mal.

✳ S'ils disent que la voisine du dessous est une vieille conne, je ne les contredis pas, et j'abonde même dans leur sens en répondant : « Oh que oui ! »

✳ J'ai déjà prétendu que la glace que je mangeais était périmée et que je me sacrifiais pour me taper le pot.

✳ Je suis in-ca-pa-ble de résoudre un problème de maths niveau CM2.

✳ Je leur ai dit que, malgré l'odeur et en dépit de toute apparence, mon chocolat chaud était un breuvage aux extraits de courgettes pour ne pas qu'ils y goûtent.

✳ Une année, j'ai oublié de leur acheter des cadeaux d'anniversaire.

✳ Je leur ai déjà fait les poches car j'avais envie de bonbecs.

✳ J'ai emprunté un matin le parfum de ma fille car mon flacon était vide.

✳ J'ai retiré les piles des jouets ultra-bruyants et dit qu'elles étaient usées pour avoir la paix.

✳ Un matin, j'ai promis qu'on irait au parc. Et puis je n'ai pas tenu ma promesse.

✳ Je ne me sens pas coupable d'aller au boulot. Au contraire.

✳ Je me suis déjà cachée dans le placard pour leur faire croire que j'avais disparu.

✳ J'ai oublié de préparer le pique-nique pour la sortie scolaire.

✳ J'ai utilisé le collier de nouilles de la fête des Mères pour préparer le dîner. J'avais oublié d'en racheter.

✳ Je me bois un verre de vin avec d'autres mamans à 16 h 30 – à tour de rôle chez les unes et les autres – pendant que les enfants font leurs devoirs.

✳ Parfois, je les habille le soir et les couche ainsi afin de ne pas perdre de temps le lendemain matin.

✳ Il m'arrive de sauter le bain. Par flemme.

✳ Il m'est déjà arrivé de trouver qu'ils sentaient mauvais.

✳ Quand ils partent en colonie de vacances, je crie : « YEEEES ! »

✳ Quand on joue au docteur, je fais semblant d'être morte et ça les effraie totalement.

✳ J'ai donné la robe préférée de ma fille car je la trouve hideuse et j'ai haussé les épaules en répondant : « Ché pas » lorsqu'elle me demandait si je ne l'avais pas vue.

✳ Il m'arrive de préférer aller rôder sur Facebook plutôt que de leur faire un câlin.

✳ Souvent, je rêve d'aller m'allonger sur un transat au soleil. Seule.

✳ Parfois, quand ils pleurent, me posent trop de questions, ou parlent trop, j'ai envie de leur dire : « Mais fermez-la ! »

✳ J'autorise de temps en temps les bonbons le matin.

✳ Je les entends parfois se disputer très fort et je n'interviens pas.

✳ Le moment de leur coucher est mon moment préféré de la journée.

...TO BE CONTINUED

PETITS BOBOS
ET AUTRES TRACAS

Avoir un enfant, c'est non seulement des responsabilités à assumer mais aussi du stress et des angoisses. Maladies infantiles, bobos au cœur, nous ne sommes à l'abri de rien, surtout pas de nos enfants.

LES ENFANTS MALADES

Quand les enfants sont malades, il faut bien le dire, ils sont chiants. Premier point (et preuve) : les serialkids tombent toujours malades le dimanche à 5 heures du matin.

Ensuite, il y a l'angoisse qu'ils font naître en toi avec leur 40 de fièvre, leurs joues bleu et rouge, leurs orteils qui les piquent, leurs jambes qui tirent, leur gorge qui enfle et leurs boutons verts au derrière.

Une fois que tu es soulagée par le pédiatre qui te file du Doliprane et « picétou » et te suggère de le mettre au lit, tu te retrouves avec un enfant chiant.

Arrêt sur image

Un enfant malade, c'est comme un homme malade : il peut te faire croire à sa mort imminente pour un simple rhume. Sois prévenue et ne tombe pas dans le piège. (S'il s'agit d'un enfant mâle, je te dis pas. La double peine !)

Il a envie de dormir puis envie de danser, envie de câlins puis il te vomit dessus, envie que tu annules tout pour rester avec lui puis envie de ne voir personne, envie de ne jamais retourner à l'école puis envie de voir ses copains, envie de manger puis envie de faire la grève de la faim, envie de lire puis envie de dormir, envie de jouer puis envie de râler.

Alors, nous autres, les mères (synonyme de mère : « héroïne »), on sourit, on éponge, on câline, on s'interdit de rouspéter, on dit que « c'est pas grave » parce que bon sang, c'est nos enfants, quoi ! Mais de toi à moi… ils sont chiants.

Les placebos fonctionnent divinement bien
face sur les enfants malades.
Un peu d'eau sucrée et hop, debout !

La prochaine fois que l'enfant est malade,
dis-lui de gérer ça avec son père.

10 CHOSES
À NE PAS FAIRE
SI TON ENFANT EST MALADE

Il a le teint pâle, la fièvre haute, il crache, il a chaud puis tremble de froid, il délire. Oui, mais qu'a-t-il au juste ?

✳ Non, tu n'es pas médecin. OK, ta mère a fait pharma, mais elle non plus n'est pas médecin pour autant (désolée maman, il fallait que ça sorte). Évite de pratiquer l'automédication sur autrui (autrui étant en l'occurrence ton serialkid).

✳ Surtout ne tape jamais sur Google la liste de symptômes de ton môme. À la fin de ta lecture, tu constateras qu'il est censé mourir sous peu dans d'atroces souffrances. Oublie les forums de mamans éplorées aussi.

✳ Vérifie que tu as bien eu la maladie toi-même. J'ai pour ma part chopé la varicelle à 31 ans. Non, je ne l'avais jamais eue. Oui, c'est affreux.

✳ Ne lui offre pas de cadeaux. Sinon, il croira que c'est cool d'être malade.

✳ Ne surjoue pas la mamma italienne au chevet de son enfant. C'est juste une angine, hein !

✳ N'avoue jamais-jamais-jamais à personne que tu as oublié de lui faire faire le rappel de vaccin du ROR.

✳ Ne le gronde pas.

✳ N'autorise sous aucun prétexte Serialfather à accepter un voyage d'affaires pile à ce moment-là. On les connaît, les dossiers hyper urgents qui nécessitent un séjour aux Maldives.

✳ Ne laisse pas ta mère ou ta belle-mère seules avec le malade. Elles pourraient l'arroser d'eau de fleur d'oranger.

✳ Sois choupette, ne l'envoie pas à l'école contaminer les autres.

► **POST IT** ◄

***Prévois de poser des congés.
Tant pis pour tes vacances.***

***Évite de tomber malade. Tu es une superhéroïne,
dois-je te le rappeler ?***

LA SALLE D'ATTENTE DU PÉDIATRE

Intérieur jour, salle d'attente du pédiatre, 14 h 28,

TOI *(épuisée, angoissée)* : Allez, chéri, pose ta tête sur maman, enlève ton manteau. Ça va bientôt être notre tour.

L'ENFANT *(bouillant et amorphe)* : Je peux aller jouer ?

TOI *(qui le pensais mourant)* : Enfin, je te rappelle que tu es censé être malade, non ?

L'ENFANT *(relevant la tête. Tiens, tiens, il va donc mieux ?)* : Non, mais c'est juste là, dans la petite cabane, devant tes yeux. C'est fait pour les enfants, non ? Maman ???

TOI *(prête à tout)* : OK, vas-y, mais ne pose pas tes mains partout et SURTOUT ne mets pas tes doigts dans ta bouche après. Il n'y a que des enfants malades qui ont touché ce truc avant toi. Quand j'étais petite, le docteur avait déjà les mêmes jouets. Ils n'ont pas changé, alors tu comprends…

L'ENFANT *(qui n'a rien écouté)* : OK.

Tandis que l'enfant se traîne à un mètre devant toi pour jouer à la dînette dans la cabane en plastique des années 1970 (dans laquelle tu as toi-même collé une crotte de nez en 1988), une dame entre avec son enfant qui tousse. Ce dernier rejoint le tien dans la cabane et ne met pas sa main devant la bouche quand il crache sur Serial-kid.

TOI *(gênée mais quand même)* : Madame, vous pourriez dire s'il vous plaît à votre enfant de mettre sa main devant sa bouche parce que déjà qu'on est tous malades ici, ce serait dommage de choper autre chose. Merci !

LA DAME (*pas contente*) : Enfin, madame, il a 2 ans, désolée mais je ne peux rien faire et puis si votre môme est malade, ça ne changera rien. Malade pour malade…

TOI (*nanméo*) : Bah si ça change qu'il n'a peut-être pas la même maladie. Ça vous ennuie vraiment de lui dire ?

LA DAME (*ispècedeconnasse*) : Chéri, la grosse dame assise à côté de moi te demande de mettre la main devant ta bouche quand tu tousses. OK, minou ?

TOI (*sortant tes gants de boxe*) : Nan mais t'as vu ton cul ?

LA DAME (*round 2*) : …

À ce moment-là, le pédiatre sort sur le pas de la porte, vous trouve debout à vous tirer les cheveux, ordonne à la dame de rentrer dans son cabinet avec son fils morveux et te laisse seule avec ta cabane, ton enfant et ton gros cul.

TOI (*femme au bord de la crise de nerfs*) : Heu, docteur, j'étais là avant…

LE PÉDIATRE (*pressé*) : Oui, mais le petit a 2 ans et c'est plus urgent que votre enfant qui en a 8. C'est comme ça, je fais vite.

POST IT

*Dans la salle d'attente du pédiatre,
les microbes sont accrochés aux murs.
Prends un livre et des jouets de chez toi
pour occuper tes serialkids.*

Aie toujours un pédiatre dans ta poche.

*N'essaie pas de te faire des copines-mamans
dans la salle d'attente. C'est LE lieu par excellence
où toutes les mamans sont à bout.*

10 FAÇONS
D'OCCUPER UN GOSSE MALADE
À LA MAISON

Les deux premiers jours, on est patiente. On savoure presque le fait de l'avoir rien qu'à soi. Mais après... ça devient usant, et comme l'enfant est tout mal en point, on est limité. Comment diable l'occuper quand au bout de quatre jours il erre comme une âme en peine ?

✳ Le dodo.

✳ Un petit DVD.

✳ Une séance de dessin ou de peinture s'il a la force de tenir un crayon ou un pinceau.

✳ Des lectures en boucle (mais tu risques d'y perdre ta voix).

✳ Un autre DVD, tiens !

✳ Une petite sieste ? Ça faisait longtemps !

✳ Un DVD tiens, tiens...

✳ Charge-le d'une tâche sans fin et parfois idiote : disposer les DVD sur l'étagère par acteur, ranger les livres par ordre alphabétique, partir à la chasse aux chaussettes esseulées et les remettre par paires, faire des albums photo.

✳ Une séance de câlins (mais gare aux miasmes).

✳ Un DVD ? (Ah, on me dit que ce n'est pas raisonnable.)

Répéter cette phrase géniale (n° 1 des phrases de mamans) : « Si tu es malade, tu dors, sinon, je t'envoie à l'école. »

Faire le plein de DVD.

LA LISTE
DE MES ANGOISSES

Quand tu as enfanté, tu as signé pour le meilleur mais aussi pour le pire (sauf que là, tu ne peux pas divorcer. Dommage).

Il faut être prévenue : tout n'est que stress (ou presque) quand tu es maman.

Ton enfant mange trop, il ne mange pas assez, il pleure sans cesse, il a l'air d'avoir mal au ventre, il a les dents qui poussent, il a les dents qui tombent, il a la peau blanche, il a la peau rouge, il va trop aux toilettes, il est constipé, il s'est fait mordre à la crèche, il ne fait jamais de sieste, il s'est ouvert le genou, il s'est pris le coin de la table, il ne cicatrise pas bien, il est allergique aux fruits rouges, il ne marche toujours pas à 19 mois, il régurgite, il n'a pas de larmes quand il pleure, il a une intolérance au lait de vache, il est myope, il fait de l'asthme, il inverse les « 3 » et les « E », il ne dort que quatre heures par nuit, il déteste sa maîtresse, il ignore son père, il t'appelle « mamie », il refuse de poser ses pieds dans l'herbe, il a avalé une plage de sable, il tape, il n'a pas beaucoup de cheveux, il est hors de question pour lui d'aller dans les bras de son papi, il hurle, il dit « non » sans cesse, il vomit en voiture, il parle aux inconnus, il n'a aucune mémoire, il a bu de l'eau de Javel, il joue au mort dans la baignoire, il veut une moto, il met ses doigts dans les prises, il trouve que l'odeur de la cigarette est agréable, il boit les fonds de tasses de café, il n'a aucune logique, il a peur de son ombre, il ne veut se nourrir que de pommes de terre, il n'arrive pas à apprendre à lire, il part en classe verte loin de toi, il est si beau que quelqu'un pourrait le kidnapper, il ne connaît pas son nom de famille, il ne veut s'habiller qu'en jogging, il défait sans cesse sa ceinture de sécurité en voiture, il a les os fragiles, il est tombé et s'est cassé les dents, il aime manger du plastique, il a envie d'un studio, il va à une boum, il a des copains plus vieux que lui, il veut être danseur de rue, il a eu son permis, il ne prend pas soin de lui.

Mais il aime sa mère.

> POST IT <

S'il veut son indépendance, qu'il la prenne.
À 4 ans, il n'ira pas très loin.

Avec une mère comme toi, il ira bien !

MALADIE D'AMOUR

L'enfant, même petit, peut tomber amoureux. Et c'est là que les ennuis commencent vraiment.

Un jour, il rentre de l'école et, du haut de ses 4 ans, te demande : « Maman, comment ça a fait quand tu as rencontré papa ? » Comme tu ne veux pas le décevoir, tu parles d'étincelles, de lumières roses, de cœur qui bat, d'éclairs dans le ciel, de joues qui rougissent et donc d'amour. Il te répond que lui aussi ressent la même chose – « Moi ça fait pareil » – et part dessiner l'élu(e) de son cœur au feutre indélébile sur les murs de sa chambre.

Le lendemain, il t'annonce son mariage imminent, car oui, l'autre l'aime aussi. Ils ont prévu de faire des enfants, de les appeler « Dora » et « Diego », d'habiter dans la cabane du McDo et de gagner des sous en vendant des coquillages sur la plage. Te voilà donc presque grand-mère à 30 ans à peine.

Sauf que, scandale dès le surlendemain. L'amoureux/se ne l'aime plus car il/elle n'adhère pas aux chaussures rouges portées par ton enfant ce jour-là. Comme quoi, l'amour tient à peu de chose. Dévasté, le serialkid pleure toutes les larmes de son corps, remet tout en question, hurle, gribouille le dessin de feu l'amoureux/se au marqueur noir (merci pour le mur) et jure de ne plus jamais se laisser piéger – « L'amour, c'est cro-cro nul ».

Tu ne sais pas trop comment réagir : aller dans son sens et blâmer l'anti-red shoes, lui parler sérieusement des sentiments humains, casser la figure des parents de l'enfant qui n'a pas vu plus loin que les pieds du tien ? Tu es perdue comme tu l'étais quand, souviens-toi, Julien Verchet t'a plaquée en CP, la faute à Pénélope Guiot qui avait dit à tout le monde que tu avais des poux.

Au jour 4, rebondissement : l'anti-chaussures rouges a trouvé un(e) autre à aimer (qui a sans doute des chaussures vertes, le bienheureux).

Ton bout de chou ne veut plus aller à l'école, menace de mettre fin à ses jours en s'enfilant une bouteille de Doliprane, avale toute la boîte de Dragibus (même les bleus, ceux qui n'inspirent personne), trouve que l'amour, ça pue, décide que tout ça est nul et entre en période de célibat.

Jusqu'au jour suivant où, au détour du toboggan de la cour d'école, son cœur s'emballe pour quelqu'un d'autre.

Face à ces amourettes d'enfant, il te faut rester zen car le pire est à venir. À l'adolescence.

> **POST IT**

Va à la sortie de l'école repérer toi-même les potentiels gendres et belles-filles que tu aimerais avoir. Certes, 2 ans c'est un peu précoce, mais rien ne t'empêche de commencer à prospecter tôt.

Explique-leur bien que le bisou sur la bouche, c'est pas avant 43 ans.

"ILS ONT DIT..."

« Il n'y a que deux choses que les enfants donnent volontiers :
leurs maladies contagieuses et l'âge de leur mère. »

Benjamin Spock

« Les maladies des gosses me rendent malade. »

Moi

« Il n'y a que les pères et les mères qui s'affligent véritablement
de la maladie de leurs enfants. »

Confucius

« Bonheur ne dit pas absence d'angoisse ; il en faut même
pour mieux apprécier son bonheur. »

Françoise Giroud

« Le plus difficile dans la maternité, c'est cette inquiétude
intérieure que l'on ne doit pas montrer. »

Audrey Hepburn

« Quand j'ai été kidnappé, mes parents ont tout de suite agi :
ils ont loué ma chambre. »

Woody Allen

« Les mamans ne sont jamais malades parce qu'elles sont
des mamans. »

Les Serialkids

« Une femme qui a un enfant, c'est neuf mois de maladie
et le reste de sa vie une convalescence. »

Francis Picabia

JE L'AIME TANT

Il y a les bas, les tracas, les couches sales, les nuits blanches, les crises de nerfs, les doutes et les interrogations, mais au-delà de tout ça, il y a l'amour. Et moi, c'est sûr que je finirai par avaler mes enfants tant je les aime.

LA MÈRE QUI AIME SON ENFANT
LE PLUS AU MONDE

Un jour, tu t'es réveillée en serrant fort ton serialkid dans tes bras et alors que tu respirais sa douce odeur au creux de son cou, tu as pensé : « C'est sûr que personne n'aime son enfant autant que moi. C'est impossible. » Tu avais déjà ressenti cela quand tu étais tombée amoureuse : ce sentiment que l'amour que tu voues à l'autre est si fort et si beau qu'il est forcément unique.

Cette sensation que tu es la plus heureuse et la plus chanceuse de toutes les mamans du monde, que ton enfant enivre ta vie comme une drogue dure, qu'il t'aime comme personne n'aimera jamais, que vous vivez une histoire différente, qu'il est ton souffle et ton avenir.

« Aucune autre mère au monde ne connaît ça », te répètes-tu inlassablement dans ta tête, fière et heureuse. Tu penses que ces émotions qui vous lient sont inimitables. Tu penses que sans lui, tu es perdue, que ta vie a un but depuis que vos regards se sont croisés, que tu sais pourquoi tu existes maintenant, que ses câlins sont exceptionnels, qu'aucun autre enfant ne peut donner autant à sa maman.

Moi aussi je le pense.

L'amour que les mères portent à leurs enfants est grand et indomptable.

*N'hésite pas à lui faire des câlins devant l'école,
pile au moment où ses copains, copines
ou bien les autres mamans vous observent.
Que tout le monde sache enfin que tu l'aimes !*

*La théorie selon laquelle plus on a d'enfants,
plus l'amour se multiplie est vraie.
Oui, tu pourras aimer tous tes enfants
immensément.*

10 CONSEILS
POUR MANGER SON ENFANT

Depuis qu'il est là, tu as envie de le manger. Ce n'est pas que ton frigo soit vide (tu viens de faire le plein), c'est juste que, telle une lionne, tu croquerais bien cet enfant qui est le tien. Ne lui répètes-tu pas inlassablement quinze fois par jour : « Toi, je vais te bouffer tellement que je t'aime » ? Une preuve d'amour. Si, si. Mais comment le préparer ?

❊ Lui badigeonner un peu d'huile d'olive sur le dos pour faire glisser (un enfant bloqué dans la gorge t'empêcherait par la suite de parler distinctement).

❊ Bien le laver avant (ingurgiter un enfant sale pourrait te donner des maux de ventre).

❊ Lui faire une coupe bien courte au préalable (des cheveux dans le ventre chatouilleraient ton estomac).

❊ Le déshabiller (un enfant habillé se digère moins bien).

❊ Ne pas hésiter à ajouter du sel et du poivre (un enfant peut manquer de saveur).

❊ Ne pas se nourrir pendant les trois jours précédant le festin (un ventre déjà rempli deviendrait bien trop gros).

❊ Si tu as plusieurs enfants, ne pas tous les manger en même temps (pour varier les plaisirs).

❊ Ne pas se baigner ou s'exposer au soleil juste après (l'enfant est long à digérer).

✳ Le dévorer d'une traite (plus d'amour en même temps, c'est mieux).

✳ Ne pas le prévenir (l'enfant peut être fugueur).

◄ POST IT ◄

Choisis bien ton moment pour le dévorer. Jamais trop tard le soir, tu dormirais mal (ballonnements).

N'aie crainte, toutes les mères sont des ogresses.

Manger un enfant équivaut à manger 5 fruits et légumes. C'est bon pour la santé.

DE LA (NON-)OBJECTIVITÉ DES MÈRES

Avant, quand tu n'avais pas d'enfant et que ta meilleure amie te vantait les qualités de son bébé – « nan, mais tu te rends compte, il a pas 2 ans et il est déjà propre ! » –, tu dégainais le sourire que tu sors en général lorsque tu te retrouves au milieu d'une discussion intellectuelle ou politique (ou les deux à la fois). Le sourire qui veut dire que tu ne comprends pas, que tu t'en fiches, MAIS que tu es polie. La première dent de ton neveu, la capacité du fils de ta voisine à écrire son prénom en attaché à 4 ans ou le fait que la fille de ta meilleure amie fasse ses nuits à 3 semaines, tu t'en balançais, et surtout, tu n'y voyais rien d'intéressant. Tu te disais même que les enfants, « franchement, c'est pas très passionnant ».

Jusqu'à ce que tu fasses les tiens. Tu as alors soudainement constaté qu'un pipi sur le pot avait un je-ne-sais-quoi d'héroïque (un peu comme quand tu changes seule l'ampoule de la cuisine alors qu'elle est cassée depuis six mois), que le premier jour à l'école était au moins aussi incontournable qu'une élection présidentielle américaine, que son premier rire était le plus beau du monde, que son premier « Maman, ze t'aime » était empreint de poésie et que sa première nuit sans tétine était fabuleuse.

Tu as eu envie de crier au monde ta joie et ta fierté d'avoir des enfants aussi géniaux.

Jusqu'à ce que ta voisine à qui tu racontais que ton grand avait enfin réussi à se détacher de son doudou te regarde avec, aux lèvres, ce fameux petit sourire que tu connaissais bien pour l'avoir pratiqué dans le temps.

Si, à chaque fin de phrase où tu parles d'eux, tu ajoutes avec un air de dindon étonné : « Nan, mais objectivement, ce sont les plus beaux/les plus drôles/les plus intelligents, hein ! Je suis toujours hyper objective vis-à-vis de mes enfants », c'est que, comme toutes les mamans du monde entier, tu ne l'es point. Chaque mère pense intimement que sa progéniture est formidablement géniale et croit surtout rester objective. Mais non, la réalité c'est que, toutes autant que nous sommes, de France aux États-Unis en passant par le Chili et le Japon, nous posons un regard parfaitement dénué d'impartialité sur nos bambins.

Compte tenu du fait que tous les parents croient dur comme fer que leur enfant est le meilleur des enfants, comment vraiment savoir ? Comment être vraiment objectif ?

Démonstration.

Pour tester sa beauté, un lâcher d'enfant fera tout bonnement l'affaire. Fais le test : au parc, un jour noir de monde, perds ton enfant (oui, bah, faut se mouiller un peu). Il se croit alors perdu mais en fait tu l'observes, tapie derrière un buisson. Regarde et écoute les réactions des autres mères : « Oh, il est trooop mignon, le pauvre enfant. Il est siiii beau qu'on en mangerait bien », ou alors : « Ouais, enfin vu sa tronche, pas étonnant que la mère le perde », ou encore : « Il a une bonne bouille, il me rappelle Shrek. En plus gros. Ça doit coûter cher à nourrir, un enfant comme ça. »

C'est de l'objectivité que tu voulais ? Voilà, tu l'as eue.

Et si en fait tes enfants n'avaient rien d'exceptionnel ? (Oui, je sais, c'est cruel à admettre.)

P.-S. : je parle pas pour moi, hein, car les miens sont géniaux. À une autre occasion, je te raconterai la fois où ma fille a fait de l'accrobranche à 3 mois et où mon fils a lu un traité sur l'amitié (en chinois) à l'âge de 2 ans.

POST IT

*Quoi qu'il en soit, continue de penser
que tes serialkids sont les plus merveilleux
et répète-le-leur chaque soir.
Qui d'autre le fera, sinon ?*

*Si une maman te vante les mérites de son enfant
et qu'elle est sympa,
même si tu n'es pas du tout d'accord, acquiesce.
Ça lui fera plaisir.*

QUI VEUT
ÉPOUSER MON FILS ?

La fabuleuse émission de télévision *Qui veut épouser mon fils ?* met en scène des mamans qui veulent à tout prix marier leurs rejetons mâles.

Le principe (pour celles et ceux qui auraient la chance de ne pas avoir la télévision) : des mères maquerelles veulent marier leurs fistons qui sont soit des débiles profonds, soit des machos profonds, soit des extraterrestres profonds. Ces duos de l'extrême font donc appel à la télévision pour rencontrer des prétendantes (des filles hyper distinguées). Ces affreuses personnes se choisissent selon des critères à faire trembler les Assédic (« Sais-tu faire la cuisine ? Est-ce que tu baises ? »), et tout ce joyeux monde va jouer, sous les yeux des téléspectateurs, au jeu de l'amour et du hasard (Marivaux en moins).

Eh bien moi aussi j'ai un fils à vendre (et pas des moindres) !

Jeune garçon de 8 ans, le plus beau du monde entier, brillant étudiant en médecine (oui, il joue au Docteur Maboul chaque samedi), passionné de littérature (il a lu en intégralité De la petite taupe qui voulait savoir qui lui avait fait sur la tête)*, cuisinier hors pair (reçu premier au concours national de tartines au Nutella), sportif de compète (championnats de billes 2009, 2010, 2011, 2012), humour fin et raffiné (les blagues de Toto, c'est lui. Si, si), indépendant financièrement (il a 27,45 euros dans sa tirelire), courageux (il a défié la Petite Souris par une sombre nuit d'hiver), esprit de famille à toute épreuve (il veut récupérer mon iPad quand je serai morte), métier stable (oisif), cherche épouse.*

Être en mesure de jouer au football et de répondre aux questions chelou serait un plus.

Merci d'envoyer vos candidatures à : quiveutépousermonfilsleplusbeauetlepluscooletleplusintelligentdumonde@serialmother.com

POST IT

Prends-toi-y tôt pour marier tes enfants.
Tu ne veux pas d'un Tanguy, si ?

Ne demande pas à tes enfants de 6 ans leur avis
sur leur futur époux/se.
C'est toi la mère, c'est toi qui décides. OK ?

TON ENFANT
EST PARTOUT

Constat n° 345678986 : avant d'avoir des enfants, ton fond d'écran d'ordinateur c'était : un coucher de soleil/un homme sexy/ une photo de ton mec et toi/une photo de toi/une plage de sable blanc/une montagne enneigée/une image drôle/une photo de tes meilleures copines et toi à ton enterrement de vie de jeune fille l'air bourré/un vieux cliché de Romy Schneider, ton idole/la pochette du disque *Abbey Road* des Beatles.

Depuis que tu as enfanté, ton fond d'écran, c'est tes marmots. Parfois l'un et l'autre, parfois l'un sans l'autre, parfois eux avec toi, parfois eux avec leur papa, parfois la famille au complet (avec le chien en prime) comme dans une pub, parfois le bracelet de nais- sance avec le prénom de Chouchou, parfois un dessin de ton mini- toi que tu as scanné tellement il était beau (!), parfois juste une petite menotte à côté de la tienne.

Les enfants ont envahi ta sphère et ta vie jusque sur ton fond d'écran. Tu ne peux simplement plus nier qu'ils sont là car ils sont devant tes yeux au bureau en permanence. Oui, car ces enfants, tu les aimes tant que tu ne peux plus t'en passer.

Idem pour les tapis de souris. Tu en as fait faire un on line avec leurs petites têtes et, pensant que toute ta famille serait jalouse, tu en as commandé quinze pour ton père, ta mère, ta belle-mère, ton beau-père, tata Josette, tonton Maurice, et même pour la boulan- gère. Ravis, ils sont.

Sans parler du fond d'écran de ton téléphone ! À peine rencontres-tu une copine (ou une inconnue) dans une soirée que tu brandis ton portable pour lui coller la photo de tes gamins sous les yeux. Il ne se passe pas quatre minutes sans qu'un dîner en ville devienne une plateforme d'échange de photos virtuelles – « Bon alors là, ils sont pas super beaux, car tu vois, ils ne sont pas aussi photogéniques que moi *(rires)*, mais en vrai, ce sont les PLUS beaux gamins du monde. Vraiment. » L'autre maman qui est ton interlocutrice trouve aussi que les siens sont les plus beaux. Débat. Voire pugilat.

Après, on passe aux photos de vacances que tu as soigneusement mises sur ta tablette avec laquelle, naturellement, tu te promènes partout. Mais il faut que tu saches une chose : tout le monde s'en fiche, des photos de vacances des autres, surtout celle où l'on voit Chouchou manger une glace et s'en mettre partout autour de la bouche ou celle sur laquelle « il est trop mimi avec sa tenue de ski dix fois trop grande ».

Viennent ensuite : le sac de ville avec la photo des mômes, le porte-clé avec la photo prise à l'école (sur laquelle en général l'enfant est pâle et laid), le bracelet avec les prénoms de tous tes enfants qui font gling-bling-gling quand tu marches (au cas où tu aurais oublié leurs prénoms, hein ? C'est la gourmette puissance 10 000), les vidéos de leurs premiers pas et premiers spectacles de danse partagées sur YouTube, ta photo de profil Facebook sur laquelle ce n'est pas toi mais bien tes enfants (du coup, ton amoureux de 3ᵉ B est vite fixé s'il te cherche sur ce réseau social), ton mug à café avec écrit « Maman, je t'aime » au-dessus de la photo des héritiers.

On est tous comme ça, nous les parents. Hyper fiers du moindre geste de nos enfants et voulant les placer partout.

Nous avons raison mais… et si les autres s'en foutaient ?

P.-S. : si les autres s'en foutent, ce sont des cons (mais des gros, hein).

POST IT

N'oublie pas de faire une sculpture du fœtus de bébé d'après ton écho en 3D. La nouvelle mode.

Ose le tee-shirt avec la photo de tes enfants imprimée dessus. En été, c'est la classe.

LETTRE OUVERTE
À MES SERIALKIDS

Mes enfants,

Avant vous, il n'y avait rien. Avant vous, je n'étais que moi avec mon bagage, ma vie, mon ambition, mes soucis, mes joies, mes peines.

Depuis vous, je suis mère, je suis forte, je suis fière, je suis heureuse.

Chaque minute qui passe est un miracle.

Vous êtes là, vous m'aimez, je vous chéris, vous me dites des mots passionnés, je vous bénis, vous me faites tenir debout, je vous épaule, vous m'apprenez des choses, je vous transmets ce que je sais, vous me faites rire, je vous cajole, vous m'épatez, je vous rassure, vous me stupéfiez, je vous guide, vous me donnez, je vous entraîne, vous me tempérez, je vous explique, vous m'étonnez, je vous nourris, vous m'estimez, je vous vénère, vous m'adorez, je vous construis un avenir, vous bâtissez le mien.

Je vous ai donné la vie, vous m'avez offert un second souffle.

Je vous aime.

Maman

" ILS ONT DIT… "

« Les enfants d'une mère sont comme des rêves. Aucun n'est aussi merveilleux que les siens. »

Proverbe chinois

« L'amour de la mère est le seul amour invincible, éternel comme la naissance. »

André Malraux

« Sans enfant, pas de bonheur féminin. »

Virginie Despentes

« L'amour de ma mère pour moi était si grand que j'ai travaillé dur pour le justifier. »

Marc Chagall

« Maman, tes câlins sont bons comme les bonbons. »

Serialprincesse

« Au long de la longue vie, il y a bien des amours parce que Dieu est bon. Mais d'un amour plus fort que tout, plus obstiné que tout, plus long que tout, nul n'est aimé que par sa mère. »

Paul Raynal

« Oh ! L'amour d'une mère ! – Amour que nul n'oublie ! […] Chacun en a sa part, et tous l'ont tout entier ! »

Victor Hugo

« La mère sait aimer : c'est toute sa science. »

Charles Hubert Millevoye

« Une mère, vois-tu, c'est là l'unique femme qui nous aime toujours, À qui le ciel ait mis assez d'amour dans l'âme pour chacun de nos jours. »

Antoine de Latour

« Maman, dis, ton amour, il est immortel ? »

Serialfiston

« L'amour d'une mère pour son enfant ne connaît ni loi, ni pitié, ni limite. Il pourrait anéantir impitoyablement tout ce qui se trouve en travers de son chemin. »

Agatha Christie

« L'amour maternel est le seul bonheur qui dépasse tout ce qu'on espérait. »

Sophie Gay

« Amours de nos mères, à nul autre pareil. »

Albert Cohen

TRIBUNE PUBLIÉE
PAR SERIALFATHER

Cher lecteur,

Serialmother (ma Serialwife) m'a accordé une place ici pour une tribune ouverte.

C'est au nom de tous les papas que je m'adresse donc à toi aussi (elle m'a dit qu'on se tutoyait tous, encore une fantaisie de sa part). Si elle s'attribue volontiers le monopole des couches sales, des nuits blanches, des crises de nerfs, du stress, de la fatigue, des biberons, je m'accorde pour ma part le monopole des blagues, des siestes qui n'en finissent pas, de la cuisine, des matchs de foot, de la virilité, des chatouilles qui excitent juste avant le coucher, des réponses aux questions comme : « Les joueurs de foot ont-ils le droit de faire pipi avant la mi-temps ? », « Les pets des humains vont-ils détruire la couche d'ozone ? », ou « Si la terre est envahie par des Martiens en 2065, tu nous sauveras, dis, papa ? ». Des vraies questions, quoi.

Arrêt sur tribune

Ici Serialmother. J'interviens pour rectifier le tir. Je me farcis également des interrogations étranges du genre : « Pourquoi les papas font pipi debout ? », « Pourquoi papa dit chaque matin qu'il n'a pas les yeux en face des trous alors que je ne les trouve nulle part ailleurs dans la maison, ses yeux ? » ou encore : « Pourquoi papa ne s'épile pas les jambes ? » Je m'inscris aussi en faux contre l'assertion qui prétend que je ne cuisine pas (comment ça, les surgelés ne comptent pas ?). Mais je concède que Serialfather a déjà donné un biberon, assumé trois nuits blanches (trois en huit ans, c'est une bonne moyenne), réconforté les serialkids, soigné les bobos et fait de bien bonnes blagues. La dernière en date étant : « Pourquoi les hommes-grenouilles plongent-ils toujours en arrière d'un bateau ? – Parce que s'ils plongeaient en avant, ils tomberaient dans le bateau. »

Reprise

Voilà, donc, je ne peux pas m'exprimer sans être interrompu. C'est l'histoire de ma vie, ça.

À tous les papas du monde : un jour c'est notre nom (« Papaaaa ») que nos serialkids crieront la nuit lors d'un affreux cauchemar ou lorsqu'ils auront besoin qu'on leur essuie les fesses aux toilettes. Et ce jour-là, nous serons bien obligés de… réveiller leur maman ! (Ah, on me dit que non, qu'il faudra assumer. Flûte, alors.)

Amitiés sincères,

Serialfather

"ILS ONT DIT..."

« On reconnaît le rouquin aux cheveux du père et le requin
aux dents de la mère. »

Pierre Desproges

« Papa, t'es une maman sauf que t'as plus de barbe. »

Les Serialkids

« L'amour d'un père est plus haut que la montagne. »

Proverbe japonais

« "Papa" est un petit mot d'amitié que les enfants donnent aux
maris de leurs mères. »

Curnonsky

« Un petit garçon ou une petite fille qui prononce le mot "papa"
devrait être certain que Papa est un héros, un preux,
et un père qui n'est pas capable d'apparaître ainsi
aux yeux de ses enfants n'est pas digne d'être appelé Papa. »

Emmanuel Carrère

« Aie dans les veines le doux lait de ta mère, et le généreux esprit
de ton père. »

Victor Hugo

« Ce qui atteint le cœur de la mère ne monte qu'aux genoux du père. »

Proverbe polonais

« Pères et mères sont les architectes de l'éducation. »

Plaute

LA SERIALMOTHER
VUE PAR SES ENFANTS

♡ ♡

Maman .
_____

Ma maman est impeu bizarre
et des fois pas simpa
a j'avé oublié je l'adore.

♡ ♡

Remerciements

Merci à ma famille, mes amis fidèles, l'équipe de Stock qui m'a fait confiance, les Seriallecteurs de mon blog, les nuits blanches, les lits parapluie, Claude François, Les Beatles, le Nutella, Tchoupi, Tic et Tac, Romain Gary, Michael Jackson, les sièges-auto, les vaches laitières, Esteban-Zia-Tao, Ulk Hogan mon chien, et à tous ceux que j'aime ! (Et même à Dora.)

TABLE

Cet ouvrage a été mis en page par Nord Compo
et achevé d'imprimer en avril 2013
par Unigraf à Madrid
pour le compte des Éditions Stock
31, rue de Fleurus, 75006 Paris

PAPIER À BASE DE
FIBRES CERTIFIÉES

Stock s'engage pour
l'environnement en réduisant
l'empreinte carbone de ses livres.
Celle de cet exemplaire est de :
950 g éq. CO$_2$
Rendez-vous sur
www.editions-stock-durable.fr

Imprimé en Espagne

Dépôt légal : mai 2013
N° d'édition : 01
51-07-1698/3